高等院校计算机精品教材

新编大学计算机基础实验教程

乜艳华　花瑞洁 | 主编

中国青年出版社

律师声明

北京市中友律师事务所李苗苗律师代表中国青年出版社郑重声明：本书由著作权人授权中国青年出版社独家出版发行。未经版权所有人和中国青年出版社书面许可，任何组织机构、个人不得以任何形式擅自复制、改编或传播本书全部或部分内容。凡有侵权行为，必须承担法律责任。中国青年出版社将配合版权执法机关大力打击盗印、盗版等任何形式的侵权行为。敬请广大读者协助举报，对经查实的侵权案件给予举报人重奖。

侵权举报电话

全国"扫黄打非"工作小组办公室　　中国青年出版社
010-65233456　65212870　　　　　010-50856028
http://www.shdf.gov.cn　　　　　　E-mail: editor@cypmedia.com

图书在版编目（CIP）数据

新编大学计算机基础实验教程 / 乜艳华,花瑞洁主编. — 北京:中国青年出版社,2019.6
ISBN 978-7-5153-5321-0
Ⅰ.①新… Ⅱ.①乜… ②花… Ⅲ.①电子计算机-高等学校-教材 Ⅳ.①TP3
中国版本图书馆CIP数据核字（2019）第080390号

新编大学计算机基础实验教程
乜艳华 花瑞洁 / 主编

出版发行：	中国青年出版社
地　　址：	北京市东四十二条21号
邮政编码：	100708
电　　话：	（010）50856188 / 50856189
传　　真：	（010）50856111
企　　划：	北京中青雄狮数码传媒科技有限公司
策划编辑：	张　鹏
责任编辑：	张　军
封面设计：	乌　兰
印　　刷：	湖南天闻新华印务有限公司
开　　本：	787×1092　1/16
印　　张：	6.5
版　　次：	2019年6月北京第1版
印　　次：	2019年6月第1次印刷
书　　号：	ISBN 978-7-5153-5321-0
定　　价：	25.00元

（附赠独家秘料，含语音视频教学+本书实例文件+PPT电子教学课件等海量实用资源）

本书如有印装质量等问题，请与本社联系
电话:（010）50856188 / 50856189
读者来信: reader@cypmedia.com
如有其他问题请访问我们的网站: www.cypmedia.com

前 言
Preface

在信息化的当今社会，科技进步日新月异，现代信息技术深刻改变着人类的生产、生活和学习方式。作为信息技术之一的计算机技术应用得越来越普遍，计算机及相关技术的发展与应用在当今社会生活中发挥着前所未有且越来越重要的作用。计算机与人们的生活息息相关，是不可或缺的工作工具和生活工具，因此计算机教育应面向社会，与时代同行。

计算机科学是一门理论与实践紧密结合的科学，实践在教学中起着至关重要的作用。本教材是《新编计算机基础》配套的实验教材，通过本实践教程的学习和应用，可以培养学生的动手能力和解决实际应用问题方面的能力。

本教程共分为6章，主要设计了计算机基础应用的相关实践操作，具体介绍如下：

章 节	内 容 简 介
Chapter 01	主要对计算机硬件系统的选购、计算机的组装、BIOS的用法、U盘启动盘的制作、硬盘的分区与格式化、Ghost备份的使用、C盘的还原操作、注册表的优化、安全模式的应用以及使用最小系统法进行故障排除等操作进行详细介绍
Chapter 02	主要对计算机配置的查看、Windows7账户的设置、Windows7外观的设置、硬件的查看、程序的更新、任务管理器和资源管理器的应用、Windows桌面小工具的应用、Windows附件工具的应用以及磁盘碎片整理的相关操作进行详细介绍
Chapter 03	主要对Word文档的编排、页面布局的设置、表格的应用、长文档的操作、图表的应用、SmartArt图形的应用、图片的应用、形状的应用、艺术字的应用以及使用ScienceWord进行立体几何图形的绘制操作进行介绍
Chapter 04	主要对Excel电子表格的创建、方差分析的操作、直方图分析数据的应用、数据的计算、数据的管理与分析以及图表的应用等操作进行详细介绍
Chapter 05	主要对PowerPoint演示文稿版式与母版的设置、段落的设置、图表的插入、超链接的应用、封面的设计方法以及动画效果的应用等操作进行详细介绍
Chapter 06	主要对如何使用几何画板三等分圆、利用Z+Z超级画板验证三角内角以及平行四边形的面积演变等多媒体教学软件的实际应用进行详细介绍

本教材在编写过程中力求谨慎，但因时间和精力有限，疏漏和不足之处在所难免，敬请广大读者批评指正。

编 者

目 录
Contents

Chapter 01
计算机常规操作实训

实训01　模拟选购计算机硬件系统 …………………………………………………………………008

实训02　组装计算机 …………………………………………………………………………………009

实训03　掌握BIOS的用法 ……………………………………………………………………………010

实训04　制作U盘启动盘 ……………………………………………………………………………012

实训05　硬盘分区及格式化 …………………………………………………………………………012

实训06　使用Ghost备份和还原C盘数据 …………………………………………………………013

实训07　注册表的优化操作 …………………………………………………………………………014

实训08　安全模式的应用 ……………………………………………………………………………016

实训09　使用最小系统法排除故障 …………………………………………………………………017

Chapter 02
Windows 7操作系统应用实训

实训01　查看计算机配置 ……………………………………………………………………………019

实训02　Windows 7文件和文件夹的操作 …………………………………………………………020

实训03　设置Windows 7帐户 ………………………………………………………………………023

实训04　Windows 7外观设置 ………………………………………………………………………026

实训05　硬件的查看和程序的更新 …………………………………………………………………028

实训06　应用任务管理器和资源监视器 ················ 030
实训07　应用Windows 7桌面小工具 ················ 032
实训08　应用Windows 7附件工具 ················ 033
实训09　磁盘碎片整理 ················ 035

Chapter 03

文字处理软件应用实训

实训01　应用Word编排文档 ················ 038
实训02　设置Word文档页面布局 ················ 040
实训03　在Word中应用表格 ················ 042
实训04　在Word中应用图片、形状和艺术字 ················ 045
实训05　对长文档进行操作 ················ 049
实训06　在Word中应用图表和SmartArt图形 ················ 052
实训07　使用ScienceWord绘制立体几何图形 ················ 053

Chapter 04

电子表格软件应用实训

实训01　创建Excel工作表 ················ 056
实训02　方差分析实训 ················ 059

实训03　使用直方图分析数据 ·· 061

实训04　在Excel中进行数据计算 ··· 065

实训05　数据管理与数据分析 ·· 071

实训06　图表的应用 ·· 075

Chapter 05

演示文稿软件应用实训

实训01　设置演示文稿的版式和母版 ··· 081

实训02　段落设置与图表、超链接的插入 ··· 085

实训03　演示文稿的封面设计 ·· 088

实训04　应用动画效果 ··· 091

Chapter 06

多媒体教学软件应用实训

实训01　使用几何画板3等分圆 ··· 099

实训02　验证三角形的内角和 ·· 101

实训03　平行四边形的面积演变 ··· 102

Chapter 01

计算机常规操作实训

本章概述

　　计算机是由硬件系统和软件系统组成的，在需要组装计算机时，首先要选购硬件系统，如CPU、主板、显卡、内存条等，然后再进行组装以及系统的安装。本章主要是针对计算机硬件系统的实验，如选购与配置计算机、组装计算机、BIOS的用法、制作U盘启动盘、硬盘的分区、注册表的优化等。读者在学习本章实验时，可以结合《新编计算机基础》第2章中计算机硬件基础的相关知识进行学习。

实训重点

熟练掌握选购计算机硬件的方法
熟练掌握组装计算机的方法
熟练掌握BIOS的用法
熟练掌握制作U盘启动盘的方法
熟练掌握硬盘分区及格式化的方法
熟练掌握使用Ghost备份和还原C盘数据的方法
熟练掌握注册表优化的方法

实训 01 模拟选购计算机硬件系统

【实训目的】

学会选购不同规格和不同需求的计算机硬件部分，了解计算机各硬件部件的性能及兼容性，同时还需要满足后期硬件升级的需要。

【知识准备与操作要求】

- 掌握计算硬件基础的相关知识，了解计算机的组成，如主机内部系统、显示器、键盘和鼠标等，其中重点了解主机的性能。
- 熟悉并掌握计算机各硬件的性能指标以及兼容性。

【实训内容与操作步骤】

在电脑销售市场索要一份计算机的最新报价单，根据实验的目的，分别试着配置一台办公用的计算机（2000元左右）、一台家用计算机（4000元左右）和一台顶级的计算机（10000元左右）。在选购硬件时需要特别注意CPU和主板的选择，需要两者相匹配，同时还需要注意各配件之间的兼容性，以及后期硬件升级的需要。

Step 01 在电脑市场索要一份计算机的最新配件报价单。

Step 02 根据实验的目的分别选购计算机各配件，在网上了解CPU和主板的性能参数并选购，然后再选购其他配件，如显卡、内存条、硬盘等。

Step 03 将不同规格计算机的配件分别存放。

Step 04 根据不同规格计算机的选购和配置列出详细的配置表，如配件的型号、数量、价格、金额以及选购该计算机的总价格等，如表1-1所示。

表1-1 计算机硬件配置表

序号	配件名称	品牌型号	单价	数量	功能介绍
1	CPU				
2	主板				
3	内存				
4	显示卡				
5	显示器				
6	硬盘				
7	机箱				
8	电源				
9	键鼠				
10	光驱				
11	音箱				
				总价	

实训 02 组装计算机

【实训目的】

学会将选购的计算机配件进行组装。

【知识准备与操作要求】

- 检查选购的计算机配件是否齐全,并熟悉计算机硬件系统。
- 准备在安装时需要的工具,如螺丝刀(两种类型)、尖嘴钳、镊子等。
- 熟悉组装时的注意事项。
  - ※ 释放身上的静电,因为静电可能对CPU、内存等配件造成损坏。释放静电的方法是洗手或都在水管上摸一下。
  - ※ 对各配件要轻拿轻放,不要碰撞,尤其是硬盘。在安装主板时一定要稳固,防止主板变形,不然会对主板的电子线路造成损伤。
  - ※ 在安装配件时注意力度和方向,安插板卡要换方向;不能用手触摸主板线路板,也不能将其他硬件与主板上的小元件发生碰撞。
  - ※ 防止液体进入计算机内部,在安装计算机各配件时,严禁液体进入计算机内部的板卡,避免造成不必要的损坏。

【实训内容与操作步骤】

首先将选购的计算机配件包装都拆卸完成后摆放在桌面上,再检查组装计算机时需要的工具是否完整。最后消除身上的静电,并进行组装。

Step 01 把主板平放在桌子上,桌子上需要有保护的软垫。将CPU安装到主板上,同时需要注意CPU的插座针脚,不能盲目用力。CPU安装完成后,还需要安装CPU风扇,在风扇与CPU接触的那一面均匀地涂上硅胶。

Step 02 安装内存条时,需要注意接口是否正确,要适度用力,否则可能会有接触不良的现象。

Step 03 打开机箱,先安装电源,拧上所有固定螺丝。然后再安装硬盘等驱动器。

Step 04 将主板放到机箱中,注意不要碰撞到主板,I/O输出接口要与其挡板相吻合。主板螺丝不要上得太紧,易造成主板变形。

Step 05 如果有显卡和网卡配件,再将其安装到主板上,并安好螺丝进行固定。

Step 06 连接好各种数据线和电源线。

Step 07 安装跳线,如HDD线硬盘指示灯线、RESET线复位开关线和POWER LED线电源指示灯线。在安装跳线时,如果有不清楚的,请看主板说明书。

Step 08 接通电源,测试组装的计算机。

实训 03 掌握BIOS的用法

【实训目的】

- 学会如何进入各种微机的BIOS。
- 学会BIOS的基本用法。
- 学会对BIOS进行基本设置。

【知识准备与操作要求】

BIOS（Basic Input/Output System）可以理解为基本输入输出系统，是计算机最基础、最重要的程序。所有的主板上都有BIOS，如果主板没有BIOS，则计算机是无法启动的。BIOS是启动计算后执行的第一个程序，它负责从打开系统电源到Windows开始之前的启动过程，也就是说BIOS是硬件与软件程序之间的一个"转换器"，负责检查计算CPU、内存等设备是否异常，并确认这些设备中存储的内容是否与BIOS内容相同。BIOS存在于硬件中，并能够直接控制硬件的汇编语言编写，它可以看作是非常接近于硬件的、具有独立功能的函数集合。

CMOS（Complementary Metal Oxide Semiconductor）为互补金属氧化物半导体，它是指制造大规模集成电路芯片用的一种技术或用这种技术制造出来的芯片，是电脑主板上的一块可读写的RAM芯片。因为可读写的特性，所以在电脑主板上用来保存BIOS设置完电脑硬件参数后的数据，这个芯片仅仅是用来存放数据的。CMOS的耗电量非常小，能够以最低的电量维持保存的内容。

BIOS是用来完成系统参数设置与修改的工具，CMOS是设定系统参数的存放场所。而平时我们说的"CMOS设置"和"BIOS设置"是其简化说法。

BIOS中包括以下几个主要程序。

- **中断例程**

BIOS中的中断例程即BIOS中断服务程序。它是计算机系统软、硬件之间的一个可编程接口，用于程序软件功能与计算机硬件实现的衔接。DOS/Windows操作系统对软盘、硬盘、光驱与键盘、显示器等外围设备的管理即建立在系统BIOS的基础上。程序员也可以通过对INT 5、INT 13等中断的访问直接调用BIOS中断例程。

- **系统设置**

计算机部件配置情况是放在一块可读写的CMOS RAM芯片中的，不通电或笔记本没有电池时，CMOS通过一块后备电池向CMOS供电以保持其中的信息。如果CMOS中关于微机的配置信息不正确，会导致不能开机、时间不准、零部件不能识别，并由此引发一系列的软硬件故障。

- **上电自检**

微机接通电源后，系统将有一个对内部各个设备进行检查的过程，这是由一个通常称之为POST（Power On Self Test，上电自检）的程序来完成的。这也是BIOS的一个功能。完整的POST自检包括CPU、640K基本内存、1M以上的扩展内存、ROM、主板、CMOS存贮器、串并口、显示卡、软硬盘子系统及键盘测试。自检中若发现问题，系统将给出提示信息或鸣笛警告。

- **自检程序**

在完成POST自检后，ROM BIOS将按照系统CMOS设置中的启动顺序搜寻软硬盘驱动器及

CDROM、网络服务器等有效的启动驱动器，读入操作系统引导记录，然后将系统控制权交给引导记录，由引导记录完成系统的启动。

不同的主板或不同的品牌电脑进入BIOS的按键各不相同，表1-2为部分主板和品牌计算机进入BIOS的按键。

表1-2 各品牌计算机的BIOS启动

品牌台式机		品牌笔记本		组装机的主板	
品牌	启动按键	品牌	启动按键	主板	启动按键
联想	F12	联想	F12	华硕	F8
惠普	F12	惠普	F9	技嘉	F12
宏基	F12	宏基	F12	微星	F11
戴尔	ESC	戴尔	F12	映泰	F9
神舟	F12	神舟	F12	梅捷	ESC或F12
华硕	F8	华硕	ESC	七彩虹	ESC或F11
方正	F12	方正	F12	斯巴达	ESC
清华同方	F12	清华同方	F12	昂达	F11
海尔	F12	海尔	F12	精英	ESC或F11
明基	F8	明基	F9	富士康	ESC或F12
		ThinkPad	F12	顶星	F11或F12
		东芝	F12	铭瑄	ESC
		三星	F12	盈通	F8
		IBM	F12	Intel	F12
		富士通	F12	冠铭	F9
		Gateway	F12	磐英	ESC
		技嘉	F12	磐正	ESC
		索尼	ESC	杰微	ESC或F8
				华擎	F11
				翔升	F10
				致铭	F12
				冠盟	F11或F12

【实训内容与操作步骤】

设置CMOS的时间、日期；通过BIOS来检测计算机中的硬件；设置CMOS密码；设置开机密码；取消所有密码。

Step 01 启动计算机，根据显示器的提示信息，按相应的按键进入BIOS主界面。

Step 02 在BIOS设置主界面中选择STANDARD CMOS FEATURES选项，进入此界面后把时间设置为2018年1月1日。在此界面中可以查看计算机硬件的信息。

Step 03 按Esc键返回BIOS主界面，通过SUPERVISOR PASSWORD选项设置管理员的密码。

Step 04 通过USER PASSWORD选项来对用户密码进行设置，输入密码后需要两次确认。设置完成后，再次进入BIOS就需要使用此密码。

Step 05 将USER PASSWORD和SUPERVISOR PASSWORD设置为空，即可取消设置的密码。

实训 04 制作U盘启动盘

【实训目的】
学习制作U盘启动盘的方法。

【知识准备与操作要求】
启动盘（Startup Disk），又称紧急启动盘（Emergency Startup Disk）或安装启动盘。它是写入了操作系统镜像文件的具有特殊功能的移动存储介质（U盘、光盘、移动硬盘以及早期的软盘），主要用来在操作系统崩溃时进行修复或者重装系统。早期的启动盘主要是光盘或者软盘，随着移动存储技术的成熟，逐渐出现了U盘和移动硬盘作为载体的启动盘，它们具有移动性强、使用方便等特点。USBoot是一款可以将手中的U盘制作成启动盘的工具，程序自带了MSDOS7.1的两个基本启动文件IO.SYS和COMMAND，如果要制作复杂的启动盘，可以把其他文件拷贝到U盘上，比如HIMEM和CONFIG.SYS。在制作U盘启动盘前，请先将U盘里的重要资料复制到电脑上进行备份操作。因为用USBoot制作U盘启动盘会将U盘里的原数据删除，但是制作成功之后，可以将制作成为启动盘的U盘像平常一样使用。

【实训内容与操作步骤】
Step 01 在网上下载USBoot工具，解压缩下载的程序。把U盘插入电脑，双击解压出来的USBoot.exe程序，在弹出的USBoot对话框中选择USB盘。

Step 02 单击"点击此处选择工作模式"选项，在弹出的菜单中选择"ZIP模式"命令。

Step 03 单击"开始"按钮，开始制作。弹出警告对话框，提示用户确保U盘中数据没有用。确认后，系统开始格式化U盘，完成后，提示用户拔掉U盘。

Step 04 双击任务栏上的"安全删除硬件"按钮，在打开的对话框中单击"停止"按钮，在打开的"停用硬件设备"对话框中单击"确定"按钮，即可拔出U盘。

Step 05 稍等片刻，根据提示再次插入U盘，系统开始创建引导型U盘，创建完成后，提示引导型U盘制作成功。

Step 06 退出USBoot程序，至此，完成制作一个具有启动DOS系统的U盘的操作。

实训 05 硬盘分区及格式化

【实训目的】
- 学会硬盘分区的方法。
- 学会硬盘格式化的方法。

【知识准备与操作要求】
硬盘是电脑主要的存储媒介之一，目前市场上的硬盘有固态硬盘（SSD）、机械硬盘（HDD）和混合硬盘。固态硬盘采用闪存颗粒来存储，机械硬盘采用磁性碟片来存储，混合硬盘是把磁性硬盘和闪存集成到一起的一种硬盘。绝大多数硬盘都是固定硬盘，被永久性地密封固定在硬盘驱动器中。

随着硬盘制作技术的不断更新，硬盘的容量也越来越大，把一个大容量的硬盘分为若干个容量较小的分区，有利于计算机性能的发挥，也使文件的管理变得相对轻松。

硬盘分区涉及到几个概念：主分区、扩展分区和逻辑分区。包括操作系统启动所必需的文件和数据的硬盘分区称为主分区，系统将从这个分区查找和调用启动操作系统所必需的文件和数据。扩展分区是用主分区以外的空间建立的分区，但不像主分区一样能被直接使用，必须再创建可被操作系统直接识别的逻辑分区。逻辑分区是从扩展分区中分配的，只要逻辑分区的文件格式与操作系统兼容。

格式化是指对磁盘或磁盘中的分区（partition）进行初始化的一种操作，这种操作通常会导致现有的磁盘或分区中所有的文件被清除。格式化通常分为低级格式化和高级格式化。如果没有特别指明，对硬盘的格式化通常是指高级格式化。

【实训内容与操作步骤】

用Windows操作系统自带的Fdisk分区软件把2T的硬盘分为四个分区，分别是C、D、E和F，其中C分区为200G、D分区为500G、E分区为600G，其余空间为F分区。最后使用Format命令格式化C盘。

Step 01 启动计算机，按相应的键进入BIOS设置界面，设置U盘启动计算机。

Step 02 使用制作的U盘启动盘进入DOS状态，然后输入Fdisk工具的目录后，输入Fdisk命令并按Enter键，即可进入Fdisk主界面。

Step 03 如果需要先删除分区，则先删除非DOS分区，再删除逻辑分区和扩展分区，最后删除主分区。

Step 04 选择主界面上的功能1选项开始创建主分区，根据提示操作，只需在创建主DOS分区大小处输入200000，即可完成C盘分区。

Step 05 返回到分区主界面后，选择功能2选项进入创建扩展分区界面。直接按Enter键将剩余空间划分为扩展分区。

Step 06 返回到分区主界面，选择功能3选项进入创建逻辑扩展分区界面。在创建逻辑分区大小处输入500000后按Enter键，即可把D盘逻辑分区大小分配为500GB。根据相同的方法创建E盘逻辑分区大小为600GB。重复分配逻辑扩展分区，把剩余扩展分区为一个逻辑分区，即F盘分区。

Step 07 返回到Fdisk主界面，通过功能2选项来激活C盘主分区。

Step 08 返回到Fdisk主界面，通过功能4选项来查看硬盘分区。

Step 09 退出Fdisk，返回DOS命令提示符。

Step 10 使用Format命令对C盘进行格式化，在DOS命令提示符下输入"format C:"再按Enter键，即可对C盘进行格式化。最后重新启动计算机，即可开始安装操作系统。

实训 06 使用Ghost备份和还原C盘数据

【实训目的】

- 了解数据备份的意义。
- 学会使用Ghost备份和还原数据。

【知识准备与操作要求】

Ghost是一款能够完整而快速地复制备份、还原整个硬盘或单一分区的软件。操作系统安装完成后，可使用该软件将分区进行备份，生成备份文件，当系统出现问题时，可以对分区进行恢复。一般情况下只需要备份操作系统所在的分区。

【实训内容与操作步骤】

下面介绍使用Ghost将C盘数据备份到D盘中的操作方法，步骤如下。

Step 01 启动计算机并进入BIOS设置程序，设置U盘启动计算机。用U盘启动盘进入DOS状态，进入对应的Ghost文件目录后，在DOS提示符下输入Ghost命令，按Enter键即可进入Ghost主界面。

Step 02 在主界面中依次选择Local>Partition>ToImage命令后按Enter键确认，弹出本地硬盘窗口，再按Etner键。

Step 03 选择源分区窗口，进入镜像文件存储目录，默认存储目录是Ghost文件所在的目录，把备份文件保存至指定路径下。

Step 04 系统提示"是否要压缩镜像文件"，单击Fast按钮，然后弹出确认窗口，选择Yes按钮即可开始备份。

Step 05 建立镜像文件成功后，会弹出提示创建成功窗口。备份完成后，重新启动计算机，进入Windows操作系统后，可以在指定路径下看到一个后缀名为gho的文件，该文件就是C盘的备份文件。

Step 06 在Windows操作系统下进行安装程序和更改系统程序的操作。

Step 07 再通过U盘启动进入DOS状态，并进入Ghost主界面，根据提示对C盘进行还原。依次选择Local>{artotopm>From Image命令后按Enter键确认。

Step 08 弹出"镜像文件还原位置"窗口，在File name文本框中输入镜像文件的完整路径及文件名，按Enter键确认后，又弹出选择本地硬盘窗口，再按Enter键即可。

Step 09 从硬盘选择目标分区窗口中，移动光标选择目标分区，弹出提示窗口，选择Yes按钮确定后按Enter键确定，Ghost开始还原分区信息。

Step 10 还原操作完成后，弹出"还原完毕"窗口。重新启动计算机，查看系统还原到了备份的状态。

实训 07 注册表的优化操作

【实训目的】

- 了解注册表在操作系统中的重要性和作用。
- 掌握Windows 7注册表优化的方法。

【知识准备与操作要求】

注册表是Microsoft Windows中的一个重要数据库，用于存储系统和应用程序的设置信息。注册表中一旦出现错误或者注册表设置不合理，均会对系统造成不可想象的后果。但是合理地配置它，则会带来意想不到的优化效果。

注册表直接控制着Windows的启动、硬件驱动程序的装载以及一些Windows应用程序的运行，从而在整个系统中起着核心作用。Windows内核在系统启动时，从注册表中读入关于设备管理器的信息，组成Windows运行环境。设备管理器改变注册表中记录的各个设备的参数，并分配IRO和DMA等信息。

【实训内容与操作步骤】

下面介绍Windows 7注册优化的操作方法，具体如下。

Step 01 单击桌面左下角的"开始"菜单按钮，在列表中选择"运行"命令，在打开的"运行"对话框中输入regedit命令❶，单击"确定"按钮❷，如下左图所示。

Step 02 在打开的"注册表编辑器"窗口中找到HKEY_LOCAL_MACHINE\SYSTEM\CurrentControlSet\Control\SessionManager\Memory Management\PrefetchParameters❶，在其右边双击EnablePrefetcher❷，在打开的对话框中将默认值由3改为1❸，可以使Windows 7加速运行，如下右图所示。

"运行"对话框

设置Windows 7加速运行

Step 03 在"注册表编辑器"窗口中找到HKEY_CURRENT_USER\Control Panel\Desktop❶，在右侧双击AutoEndTasks❷，在打开的对话框中设置"数值数据"为1❸，单击"确定"按钮❹，即可设置Windows自动结束未响应的程序，如下左图所示。

Step 04 当Windows遇到无法解决的问题时，便会自动重新启动，如果要想阻止Windows自动重新启动，可以通过注册表的设置来完成。在"注册表编辑器"窗口中找到HKEY_LOCAL_MACHINE\SYSTEM\CurrentControlSet\Control\CrashControl❶，在右侧双击AutoReboot❷，在打开的对话框中将"数值数据"值改为0❸，单击"确定"按钮❹即可，如下右图所示。

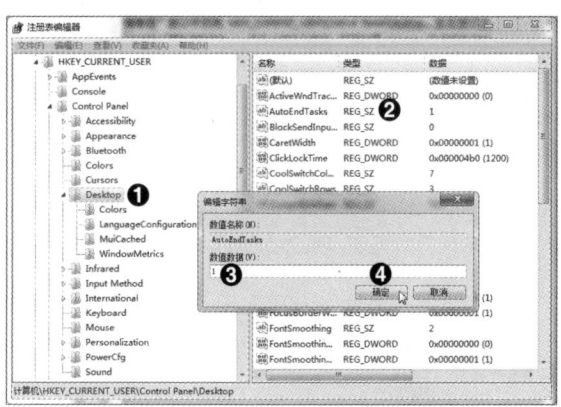
设置Windows自动结束未响应的程序

关闭Windows自动重启

Step 05 为了加快菜单的显示速度，可以按照以下方法进行设置，首先选择HKEY_CURRENT_USER\Control Panel\Desktop❶，双击右侧MenuShow-Delay❷，在打开的对话框设置"数值数据"值为0❸，单击"确定"按钮❹，即可加快菜单的显示速度，如下图所示。

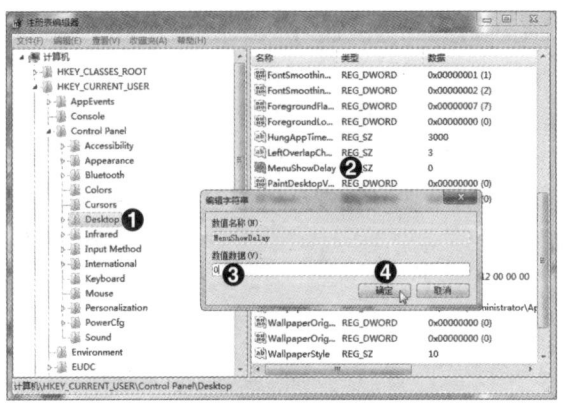

加快菜单的显示速度

实训 08 安全模式的应用

【实训目的】
- 了解电脑安全模式的意义。
- 学会通过安全模式检测与修复计算机系统的错误。

【知识准备与操作要求】

安全模式是Windows操作系统中的一种特殊模式,经常使用电脑的朋友肯定不会感到陌生,在安全模式下用户可以轻松地修复系统的一些错误,起到事半功倍的效果。安全模式的工作原理是在不加载第三方设备驱动程序的情况下启动电脑,使电脑运行在系统最小模式,这样用户就可以方便地检测与修复计算机系统的错误。

在不同的操作系统中进入安全模式的方法不同,以Windows 7操作系统为例。启动计算机时,在系统进入Windows启动界面前按F8功能键,或者在启动计算机时按Ctrl键,在打开的操作系统多模式启动菜单中通过方向键选择"安全模式"选项,最后按Enter键,即可引导计算机进入安全模式。

用户还可以在桌面按下Win+R组合键,打开"运行"对话框,在"打开"文本框中输入Msconfig❶,然后单击"确定"按钮❷,如下左图所示。弹出"系统配置"对话框,切换至"引导"选项卡❸,勾选"引导选项"选项区域中的"安全引导"复选框❹,单击"确定"按钮❺即可,如下右图所示。

"运行"对话框

"系统配置"对话框

【实训内容与操作步骤】

进入安全模式后，可以进行以下实验：
（1）"安全模式"还原。
（2）删除顽固文件。
（3）查杀病毒。
（4）解除组策略锁定。
（5）修复系统故障。
（6）检测不兼容的硬件。
（7）卸载不正确的驱动程序。

实训 09 使用最小系统法排除故障

【实训目的】

学会使用最小系统法排除计算机硬件故障。

【知识准备与操作要求】

最小系统是指从维修判断的角度，能使电脑开机或运行的最基本的硬件和软件环境，本实验主要介绍硬件的最小系统。

硬件最小系统由电源、主板、CPU和内存组成，在这个系统中没有任何信号线的连接，只有电源到主板的电源连接。在判断的过程中，通过声音来判断这一核心组成部分是否可正常工作。

最小系统分为3类：

- 启动型：电源+主板+CPU。
- 点亮型：电源+主板+CPU+内存+显卡+显示器。
- 进入系统型：电源+主板+CPU+内存+显卡+显示器+硬盘+键盘，这时其实已经是完整的电脑了，不过光驱、软驱、打印机、电视卡、鼠标、摄像头、网卡、手柄之类的还是没有插上。

【实训内容与操作步骤】

Step 01 将计算机系统主机箱中的所有接口板都取出来，并去掉软硬盘驱动器的电源插头以及键盘连线。打开电源系统，如果没有任何反应，说明故障出在主板本身，或者是出在开关电源或内存条上。

Step 02 打开电源，系统若有报警声，则说明主板、电源和内存条是正常的。

Step 03 然后逐步加入其他部件扩大最小系统，在逐步扩大系统配置的过程中，若发现加入某部件到主板扩展槽上后，计算系统变得不正常了，则说明加入的部件有故障，从而找到故障电路板，更换该电路板即可。

Chapter 02

Windows 7 操作系统应用实训

本章概述

计算机操作系统是计算机系统中最核心的软件,它是管理计算机硬件与软件资源的计算机程序,同时也是计算机系统的内核与基石。操作系统需要处理如管理与配置内存、决定系统资源供需的优先次序、控制输入与输出设备、操作网络与管理文件系统等基本事务。操作系统也提供一个让用户与系统交互的操作界面。

实训重点

熟练掌握Windows 7文件和文件夹的操作
熟练掌握Windows 7帐户的设置方法
熟练掌握Windows 7外观设置的方法
熟练掌握Windows 7任务管理器和资源监视器的使用方法
熟练掌握桌面小工具的使用方法
熟练掌握Windows 7附件工具的使用方法
熟练掌握磁盘碎片整理的方法

实训 01 查看计算机配置

【实训目的】

学会使用Windows 7操作系统监管计算机的各种软硬件资源，如查看系统的配置信息、了解计算机硬件的参数等。

【知识准备与操作要求】

计算机的配置信息主要包括计算机的各种硬件信息，如计算机的CPU、内存、显卡、主板等，用户可以采用多种方法进行查看，本实验将介绍使用Windows 7自带的工具软件进行查询。

- **Windows 7操作系统简介**

Windows 7是由微软公司（Microsoft）开发的操作系统，内核版本号为Windows NT 6.1。Windows 7可供家庭及商业工作环境：笔记本电脑、平板电脑、多媒体中心等使用。目前Windows 7的版本包括：入门版（Starter）、家庭普通版（Home Basic）、家庭高级版（Home Premium）、专业版（Professional）、企业版（Enterprise）（非零售）、旗舰版（Ultimate）。

- **CPU的参数**

CPU是Central Processing Unit（中央处理器）的缩写，CPU的详细参数包括内核结构、主频、外频、倍频、接口、缓存、多媒体指令集、制造工艺、电压、封装形式、整数单元和浮点单元等。

※ 主频：也称为时钟频率，简单地说就是CPU的工作频率，单位是MHz，CPU的主频表示在CPU内数字脉冲信号振荡的速度，与计算机执行指令的速度密切相关。主频越高，CPU的速度也越快。主频=外频×倍频。

※ 缓存：是指可以进行高速数据交换的存储器，它优先于内存与CPU交换数据，因此速度极快，所以又被称为高速缓存。与处理器相关的缓存一般分为两种，即L1缓存，也称内部缓存；L2缓存，也称外部缓存。

【实训内容与操作步骤】

下面介绍查看计算机配置的操作方法，具体如下。

在桌面上右击"计算机"图标，在快捷菜单中选择"属性"命令，在打开的窗口中显示系统的版本、CPU的主频和内存大小等信息，如右图所示。

如果需要查看更详细的配置信息，则单击左侧"设备管理器"链接，在打开的"设备管理器"窗口中查看计算机的所有配置信息，如下图所示。

查看计算机配置信息

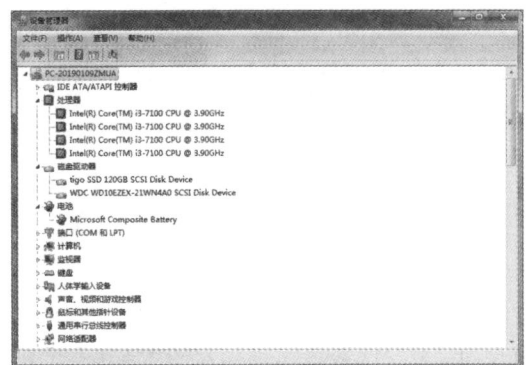

设备管理器

用户还可以通过"DirectX诊断工具"查看计算机的配置。首先在Windows桌面按Win+R组合键，打开"运行"对话框，在"打开"文本框中输入dxdiag命令，单击"确定"按钮。打开"Direct X诊断工具"对话框，在"系统"选项卡下可以查看计算机的系统配置，如下图所示。在"显示"选项卡中可以查看显卡的相关配置；在"声音"选项卡下，可以查看声卡的相关信息；在"输入"选项卡中可以查看输入输出设备以及外围的鼠标键盘等配置。

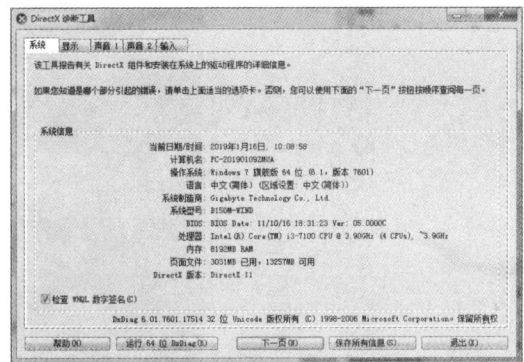

"DirectX诊断工具"对话框

实训 02 Windows 7文件和文件夹的操作

【实训目的】

- 了解文件的命名规则。
- 掌握文件的选择、删除、重命名等操作。

【实训内容与操作步骤】

下面介绍Windows 7文件和文件夹的相关操作，如文件/文件夹的复制、删除、重命名、显示与隐藏等。

Step 01 要复制文件，则打开"实例文件/第4章/原始文件/SHIYAN/WENJIAJIA"文件夹，选中"员工信息.xlsx"工作簿，按Ctrl+C组合键进行复制，在同一文件夹中按Ctrl+V组合键进行粘贴，得到"员工信息-副本.xlsx"工作簿，如下左图所示。

Step 02 若要重命名文件,则选定"员工信息-副本.xlsx"工作簿,连续单击两次或者按F2键,此时文件的名称为可编辑状态,最后输入"2018年员工档案"文本,按Enter键,即可完成文件的重命名操作,如下右图所示。

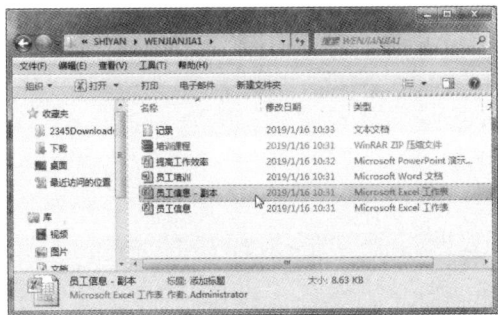
复制文件

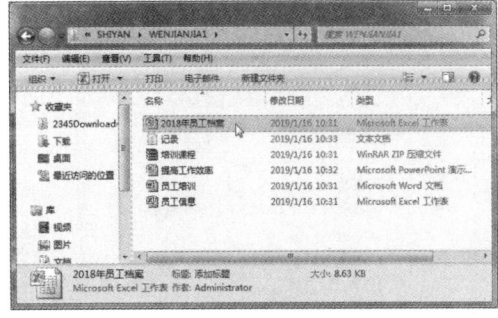
重命名文件

Step 03 若要为文件或文件夹创建快捷方式,则选择"提高工作效率.pptx"演示文稿❶,单击鼠标右键,在快捷菜单中选择"发送到>桌面快捷方式"命令❷,如下图所示。即可将选中文件或文件夹在桌面上创建快捷方式,方便直接访问。

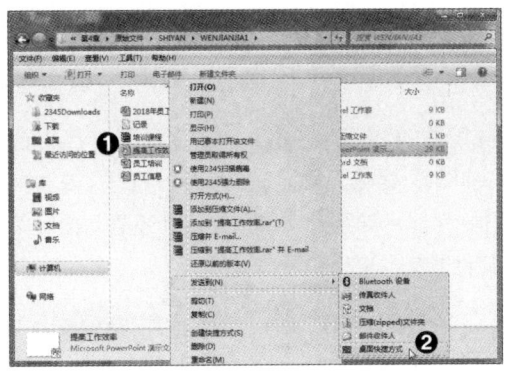
创建快捷方式

Step 04 若要删除文件或文件夹,则选择需要删除的文件或文件夹,然后根据以下几种方法删除文件或文件夹。方法一是单击"文件"菜单按钮,在列表中选择"删除"命令;方法二是右击要删除的文件或文件夹,在弹出的快捷菜单中选择"删除"命令;方法三是选中文件或文件夹,直接按Delete键即可删除;方法四是选中文件或文件夹,直接按Shift+Delete组合键。执行前3种删除操作时,将弹出"删除文件"对话框,提示"确实要把此文件放入回收站吗?",如下左图所示。如果单击"是"按钮,即可删除此文件,但是不是彻底删除,只需要在"回收站"中执行还原操作即可还原该文件。若执行第4种删除操作,会提示"确实要永久地删除此文件吗?",如下右图所示。如果单击"是"按钮,将永久删除该文件,在回收站中是找不到该文件的。

删除文件

彻底删除文件

Step 05 若要隐藏文件或文件夹，则选择需隐藏的文件或文件夹并右击，在快捷菜单中选择"属性"命令，打开对应的属性对话框，在"常规"选项卡中勾选"隐藏"复选框❶，单击"确定"按钮❷，如下左图所示。在弹出的"确认属性更改"对话框中单击"确定"按钮❸，如下右图所示。即可将选中的文件或文件夹隐藏，此处隐藏WENJIANJIA1文件夹。

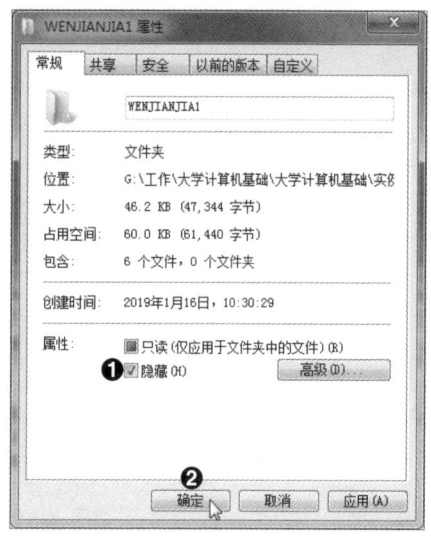
隐藏文件夹

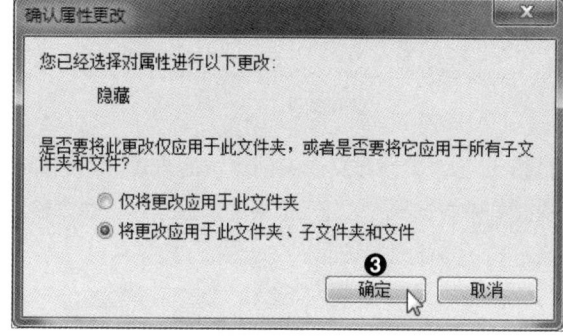
确认属性更改

Step 06 此时在文件夹中可见隐藏的WENJIANJIA1不显示了，若要显示隐藏的文件或文件夹，则在"工具"菜单列表中选择"文件夹选项"命令，如下左图所示。打开"文件夹选项"对话框，在"查看"选项卡的"高级设置"列表框中选中"显示隐藏的文件、文件夹和驱动器"单选按钮，依次单击"应用"和"确定"按钮，即可显示隐藏的文件或文件夹，如下右图所示。

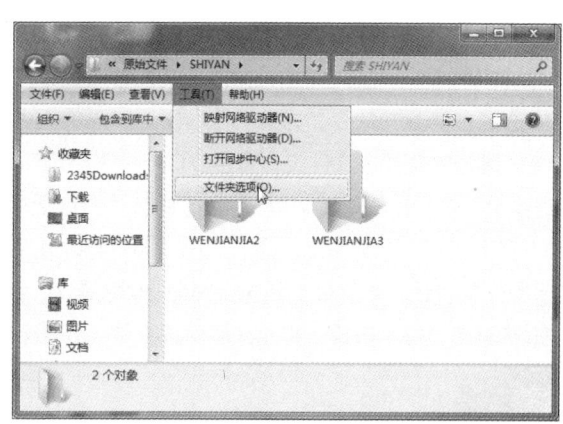
选择"文件夹选项"命令

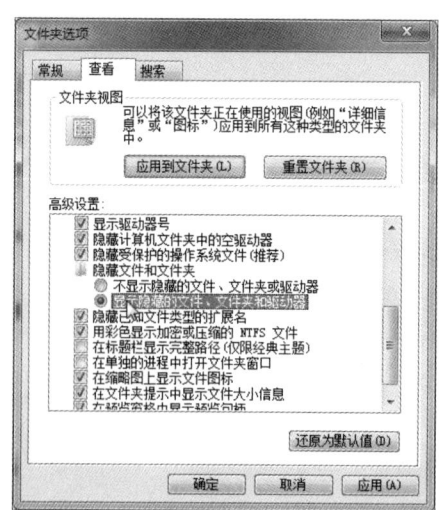
显示隐藏的文件

实训 03 设置Windows 7帐户

【实训目的】
- 了解Windows 7多用户的概念。
- 掌握管理帐户的方法。

【知识准备与操作要求】

当很多人共用一台计算机时，每个用户都可以为自己创建帐户并添加密码保护，从而保护自己的隐私。在Windows 7系统中有三种不同类型的帐户，分别为Administrator、标准用户帐户和Guest（来宾）帐户。

【实训内容与操作步骤】

- **创建帐户**

在Windows 7系统中，用户可以通过以下两种方法创建新帐户。

方法一：通过"管理账户"窗口创建

Step 01 在桌面上单击"开始"菜单按钮，在列表中选择"控制面板"选项，在打开的"控制面板"窗口中单击"添加或删除用户帐户"超链接，如下图所示。

"控制面板"窗口

Step 02 打开"管理帐户"窗口，可见该计算只有默认的两种帐户，单击左下角"创建一个新帐户"超链接，如下图所示。

"管理帐户"窗口

Step 03 打开"创建新帐户"窗口,输入新帐户的名称,如WLWH001❶,用户可以选择创建标准用户帐户还是管理员帐户,此处选择创建标准用户帐户,单击"创建帐户"按钮❷,如下左图所示。

Step 04 返回"管理帐户"窗口,在"选择希望更改的帐户"列表框中显示了新创建的标准用户,如下右图所示。

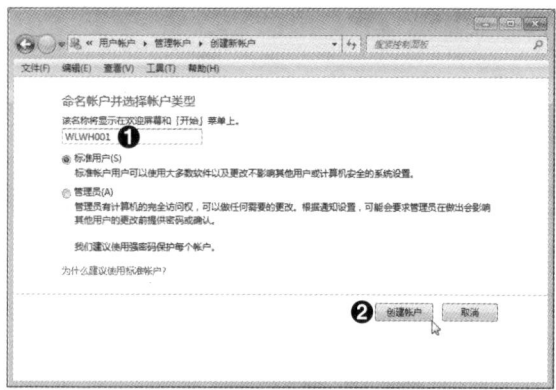
创建新帐户

查看创建的帐户

方法二:通过"计算机管理"窗口创建

Step 01 在桌面上右击"计算机"图标,在快捷菜单中选择"管理"命令,打开"计算机管理"窗口,然后依次展开"系统工具>本地用户和组"选项,在中间列表中右击"用户"选项❶,在快捷菜单中选择"新用户"命令❷,如下左图。

Step 02 打开"新用户"对话框,在"用户名"文本框中输入名称❶,如果需要设置帐户密码,可以在"密码"和"确认密码"文本框中设置密码❷,单击"创建"按钮❸,即可创建新帐户,如下右图所示。

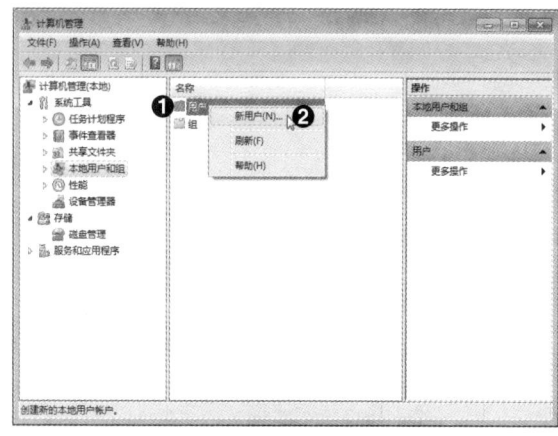
选择"新用户"命令

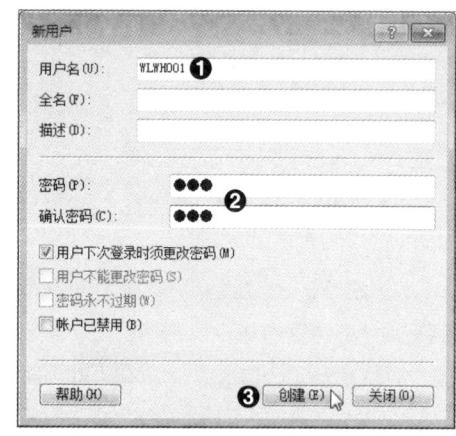
创建新用户

● **设置用户帐户的头像**

用户账户头像是指用户在登录界面中所显示的头像,用户可以根据需要选择所需的图片进行设置。

Step 01 在控制面板的"管理帐户"窗口中选择WLWH001用户帐户,打开"更改帐户"窗口,单击"更改图片"超链接,如下左图所示。

Step 02 打开"选择图片"窗口,用户可以在预设的图片库中选择喜欢的图片,也可以单击"浏览更多图片"超链接,在打开的对话框选择所需的图片❶,单击"打开"按钮❷,如下右图所示。

操作完成后返回"更改帐户"窗口,可见该用户的头像更改为选中的图片。

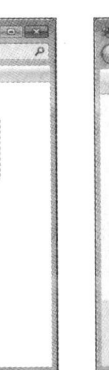 

| 单击"更改图片"超链接 | 选择图片 |

● 更改帐户的名称

Windows 7操作系统中用户帐户的名称是可以更改的。

在控制面板的"更改帐户"窗口中，单击"更改帐户名称"超链接，打开"重命名帐户"窗口，在文本框中输入用户帐户的新名称，如"小蔡"❶，单击"更改名称"按钮❷，如下图所示。即可将选中用户帐户名称进行重命名。

更改用户帐户的名称

● 更改帐户的类型

本实验中创建的小蔡帐户为标准用户类型，如果需要可以将其更改为"管理员"帐户。在控制面板的"更改帐户"窗口中单击"更改帐户类型"超链接。打开"更改帐户类型"窗口，选中"管理员"单选按钮❶，然后单击"更改帐户类型"按钮❷，如下图所示。操作完成后，小蔡帐户的类型被更改为管理员帐户。

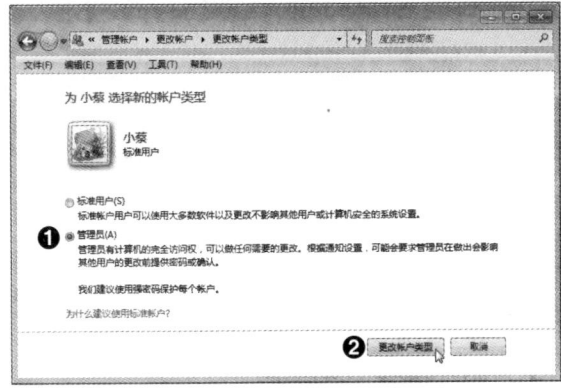

更改帐户的类型

实训 04 Windows 7外观设置

【实训目的】

通过本次实验的操作,使读者学会对Windows 7的外观进行相应设置,如桌面的背景、屏幕的分辨率、主题、屏幕保护程序等。

【知识准备与操作要求】

屏幕分辨率是指屏幕显示的分辨率。屏幕分辨率设置是确定计算机屏幕上显示多少信息的设置,以水平和垂直像素来衡量。屏幕分辨率低时,在屏幕上显示的像素少,但尺寸比较大。屏幕分辨率高时,在屏幕上显示的像素多,但尺寸比较小。

如果在使用计算机进行工作的过程中临时有一段时间需要做一些其他的事情,从而中断了对计算机的操作,这时就可以启动屏幕保护程序,将屏幕上正在进行的工作状况画面隐藏起来。

【实训内容与操作步骤】

- **设置桌面背景**

如果将一张图片设置为桌面的背景,则选中该图片并右击,在快捷菜单中选择"设置为桌面背景"命令,即可将Windows 7系统的桌面设置为选中的图片。在选择图片时尽量选择像素高的,否则桌面背景图片比较虚。

用户也可以设置多张图片作为桌面背景,并且可以设置切换图片的时间。首先用户需要将图片准备好并放在同一个文件夹中。然后在桌面空白处右击,在快捷菜单中选择"个性化"命令,打开"个性化"窗口,单击下方"桌面背景"图标,如下图所示。

"个性化"窗口

在"桌面背景"窗口中可以使用系统预设的图片,也可以使用自己准备的图片,即单击"浏览"按钮,在打开的"浏览文件夹"对话框中选择图片所在的文件夹,单击"确定"按钮,如下左图所示。

返回"桌面背景"窗口,可以看到显示了选中文件夹中的所有图片,在下方设置"图片位置"为"适应"❶,设置更改图片时间间隔为10分钟❷,勾选"无序播放"复选框❸,最后单击"保存修改"按钮❹,

即可完成创建，如下右图所示。

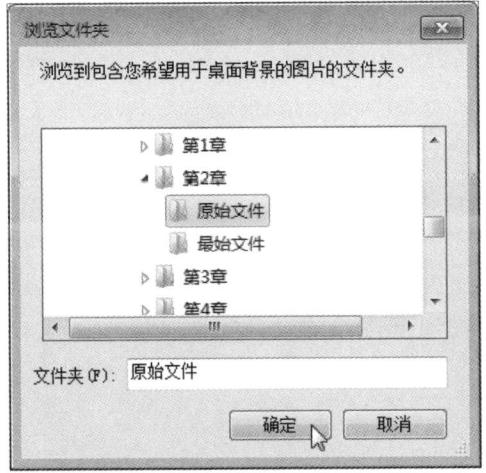

选择文件夹

设置图片位置和间隔时间

- **设置屏幕分辨率**

右击桌面空白处，在快捷菜单中选择"屏幕分辨率"命令，即可打开"屏幕分辨率"窗口，单击"分辨率"右侧下三角按钮❶，在列表中选择合适的分辨率选项，如1600×900❷，单击"确定"按钮❸即可，如下图所示。

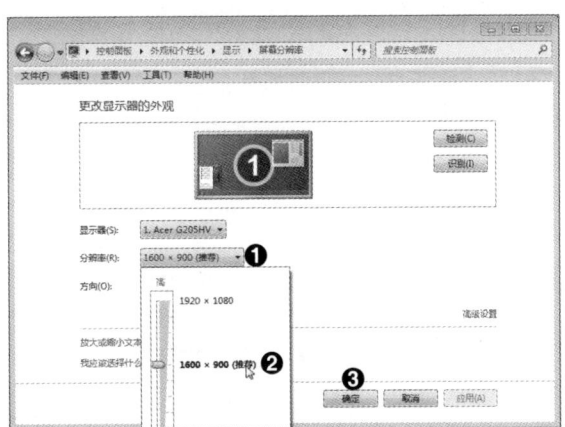

设置屏幕分辨率

用户也可以在"控制面板"中设置屏幕分辨率，首先打开控制面板，在"外观和个性化"选项区域中单击"调整屏幕分辨率"超链接，即可打开"屏幕分辨率"窗口，根据相同的方法设置即可。用户可以设置不同的分辨率，并查看窗口显示效果。

- **设置屏幕保护程序**

右击桌面空白处，在快捷菜单中选择"个性化"命令，打开"个性化"窗口，单击"屏幕保护程序"超链接。打开"屏幕保护程序设置"对话框，单击"屏幕保护程序"下三角按钮，在列表中选择合适的屏幕保护，如选择"彩带"选项❶，再设置"等待"的时间为1分钟❷，单击"应用"按钮即可❸，如下左图所示。

用户也可设置自己准备的图片作为屏幕保护程序。在"屏幕保护程序"列表中选择"照片"选项，再单击"设置"按钮，在打开的"照片屏幕保护程序设置"对话框中单击"浏览"按钮，如下右图所示。

在打开的对话框中选择图片保存的文件夹，依次单击"保存"按钮，即可完成操作。

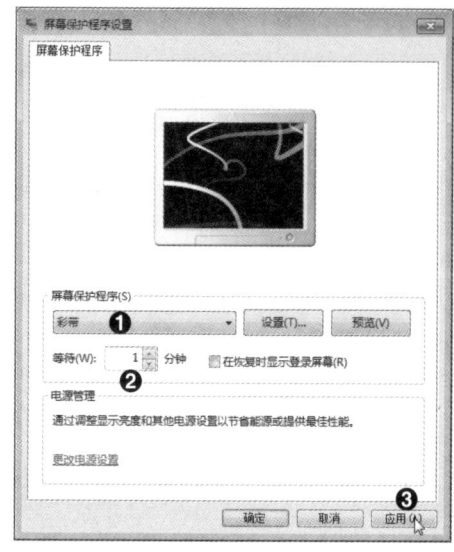
设置屏幕保护

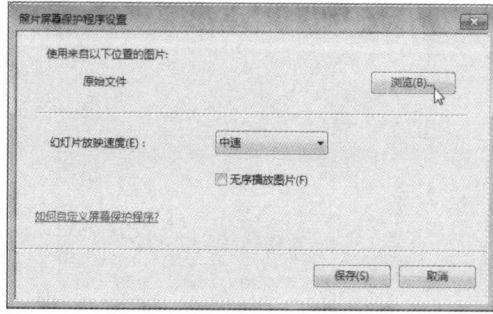
单击"浏览"按钮

● **设置桌面主题**

桌面主题包括桌面的背景、窗口的颜色、声音以及屏幕保护等内容,用户可以打开控制面板,在"外观和个性化"选项区域中单击"更改主题"超链接,在打开的窗口中选择预设的主题,也可单击"联机获取更多主题"超链接,进行选择。

> **提示:设置鼠标指针的形状**
> 要设置鼠标指针的形状,则在"个性化"窗口中单击"更改鼠标指针"超链接,在打开的"鼠标属性"对话框的"指针"选项卡中进行设置即可。

实训 05 硬件的查看和程序的更新

【实训目的】

- 学会查看硬件设备属性。
- 学会更新硬件设备驱动程序。

【知识准备与操作要求】

设备管理器是一种管理工具,可用来管理计算机上的设备。用户可以使用"设备管理器"查看和更改设备属性、更新设备驱动程序、配置设备设置和卸载设备。如果硬件设备工作出现异常情况,系统会自动采用相应的标记来说明各种硬件状况,下面介绍常见的3种标记。

- 红色的叉号:如果在硬件设备左侧显示红色叉号,说明该设备被用户停用了。这类设备是可以正常工作的,只需要右击该设备,在快捷菜单中选择"启用"命令即可。
- 黄色的问号:表示该硬件设备不能被Windows系统所识别,该设备是不能正常工作的。
- 黄色的感叹号:表示该设备通被Windows系统识别并正确安装,可能是该硬件未安装驱动程序或驱动程序安装不正确。

硬件厂商每隔一段时间会推出新版本的硬件驱动，更新驱动程序不仅可以修复旧版本中存在的问题，对原有硬件中比较好的功能还可以提供更好的支持，从而使硬件设备运行更加流畅。

【实训内容与操作步骤】

● 查看硬件设备属性

Step 01 在桌面上右击"计算机"图标，在弹出的快捷菜单中选择"设备管理器"命令。打开"设置管理器"窗口，在列表中选择需要查看属性的设备，如HID Keyboard Device❶，单击鼠标右键，在快捷菜单中选择"属性"命令❷，如下左图所示。

Step 02 打开对应的属性对话框，"常规"选项卡中显示了设备的类型、制造商、位置以及设备状态等信息，如下右图所示。

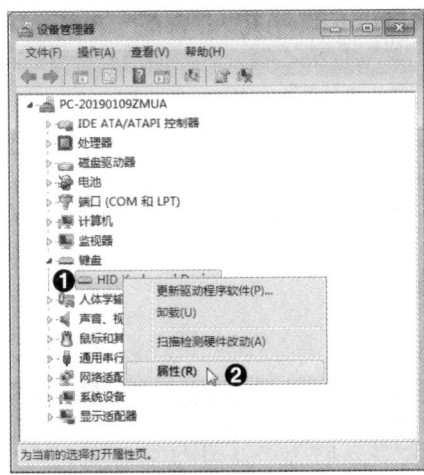
"设备管理器"窗口

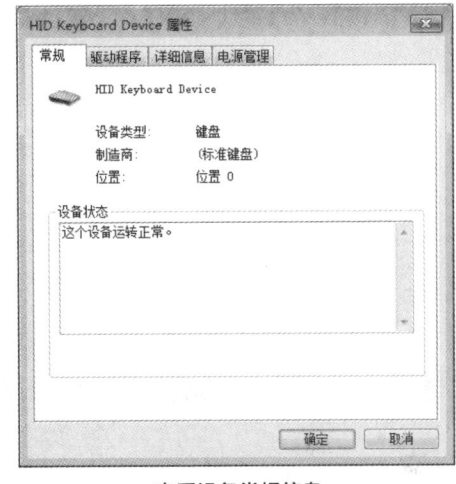
查看设备常规信息

Step 03 在"驱动程序"选项卡中，可以查看当前硬件使用的驱动程序版本、发布日期以及数字签名程序等，如下左图所示。

Step 04 在"详细信息"选项卡中可以查看当前硬件设备的相关参数，如下右图所示。在"电源管理"选项卡中，显示该设备电源情况。

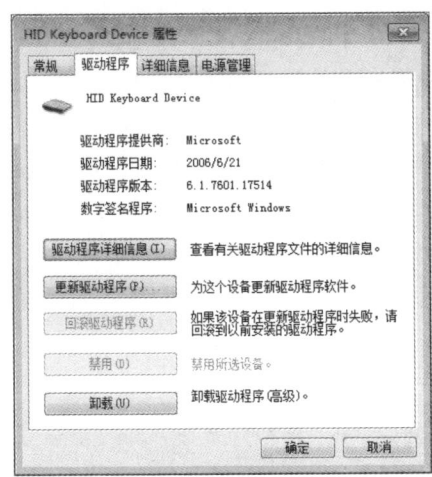
"驱动程序"选项卡

"详细信息"选项卡

● 更新硬件设备驱动程序

打开"设备管理器"窗口,在列表中选择需要更新驱动程序的设备,如HID Keyboard Device,打开对应的属性对话框,切换至"驱动程序"选项卡,单击"更新驱动程序"按钮。

打开"更新驱动程序软件"的窗口,用户可以选择自动搜索更新的驱动程序软件,也可以浏览计算机以查找驱动程序软件,如下图所示。操作完成后,即可更新驱动程序。

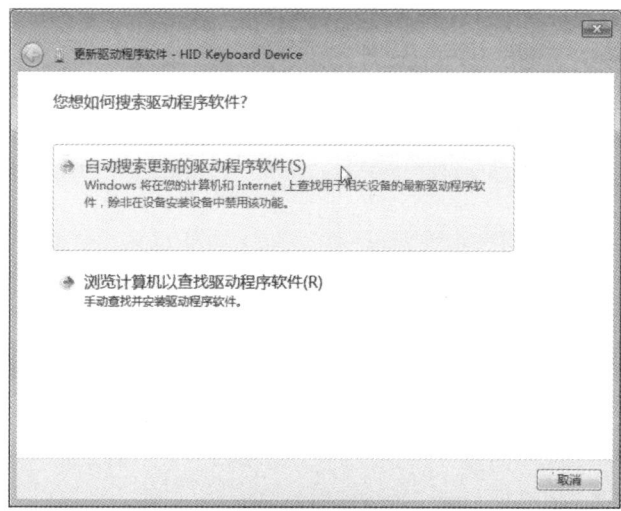

更新硬件设备驱动程序

实训 06 应用任务管理器和资源监视器

【实训目的】

- 了解Windows 7多任务管理运行机制。
- 了解进程的概念。
- 学会使用资源监视器。

【知识准备与操作要求】

读者可以先对Windows 7操作系统中任务管理器的相关知识进行学习。

Windows 资源监视器是一个功能强大的工具,用于了解进程和服务如何使用系统资源。除了实时监视资源使用情况外,资源监视器还可以帮助用户分析没有响应的进程,确定哪些应用程序正在使用文件,并对进程和服务进行控制。

【实训内容与操作步骤】

● 应用任务管理器

在使用任务管理器之前,首先了解一下如何打开任务管理器。第一种方法是按Ctrl+Alt+Del组合键或者Ctrl+Shift+Esc组合键,在打开的界面中选择"启动任务管理器"选项即可;第二种方法,在任务栏空白处右击,在快捷菜单中选择"启动任务管理器"命令;第三种方法是单击"开始"菜单按钮,在列表中选择"运行"选项,在打开的对话框中输入taskmgr.exe命令,单击"运行"按钮即可。

在"Windows任务管理器"对话框的"应用程序"选项卡中显示当前计算机应用的程序，如果用户需要结束某项程序，可以选中该程序❶，单击"结束任务"按钮即可❷，如下图所示。

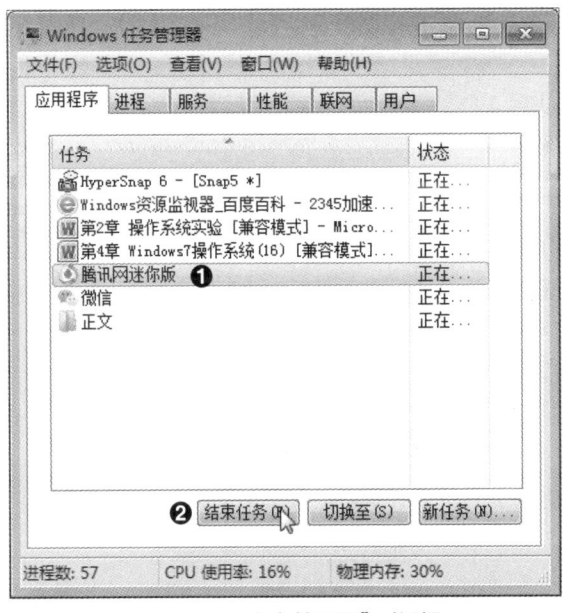

"Windows任务管理器"对话框

● **利用资源监视器查看进程资源**

下面介绍利用资源监视器查看2345Explorer浏览器进程所占用的资源，如CPU、内存、磁盘和网络。首先在"Windows任务管理器"对话框中切换至"性能"选项卡，单击"资源监视器"按钮，即可打开"资源监视器"窗口。

在"资源监视器"窗口的CPU选项卡中勾选2345Explorer.exe对应的进程，可以查看该进程使用CPU的线程数、平均CPU等参数，如下左图所示。

然后根据相同的方法查看"内存"、"磁盘"和"网络"的资源信息。切换到"内存"选项卡，可以查看内存的提交、工作集、专用和可共享等信息。"切换到"磁盘选项卡，可以查看磁盘的读、写和总数（字节/秒）的数量。切换到"网络"选项卡，可以查看该进程的发送、接收和总数的数据以及TCP连接的资源，如下右图所示。

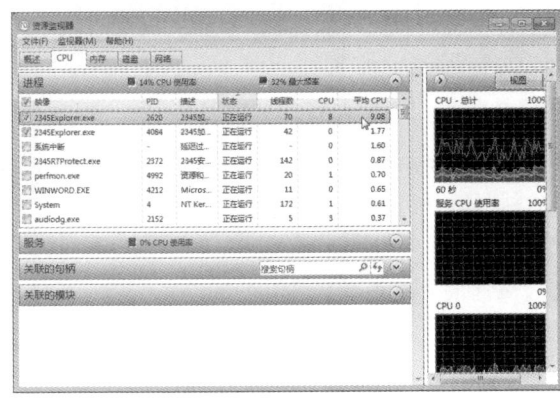

查看占用的CPU资源

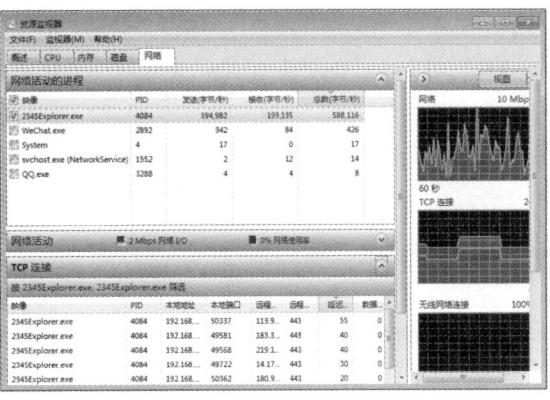

查看"网络"资源

实训 07 应用Windows 7桌面小工具

【实训目的】
- 学会使用Windows 7桌面小工具。
- 学会Windows 7桌面小工具的下载和安装方法。

【知识准备与操作要求】

Windows7桌面小工具是Windows7操作程序新增功能，可以方便用户使用电脑。使用Windows桌面小工具可以让电脑用户查看时间、天气，或了解电脑的情况（如CPU仪表盘）。

【实训内容与操作步骤】

- **添加桌面小工具**

打开控制面板，单击"程序"超链接，进入"程序"窗口，单击"桌面小工具"超链接，在打开的窗口中双击需要添加的小工具即可，此处双击时钟小工具，如下图所示。操作完成后，即可在桌面的右上角显示添加的时钟，并显示当前时间。

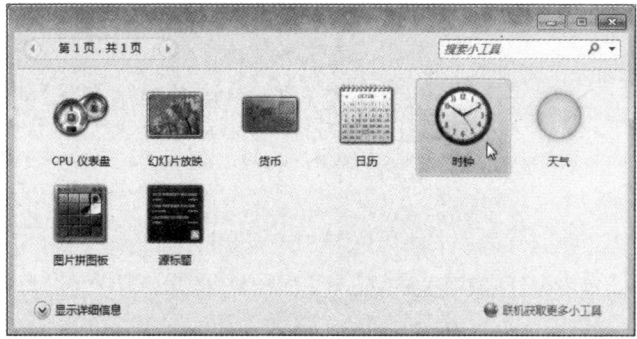

添加时钟小工具

- **设置桌面小工具**

小工具添加后，用户可以根据需要设置桌面小工具。将光标移至小工具上方在右侧显示相关按钮，单击"选项"按钮，打开小工具对应的对话框。本实验打开的是"时钟"对话框，单击 按钮可以设置时钟的样式，在"时钟名称"文本框中输入名称，即可在时钟中间显示名称，用户可以根据需要设置是否显示钞针，设置完成后单击"确定"按钮即可，如右图所示。

- **删除桌面小工具**

如果需要删除已经添加到桌面上的小工具，则将光标移至小工具上方，单击右侧的"关闭"按钮，即可完成删除操作。

"时钟"对话框

实训 08 应用Windows 7附件工具

【实训目的】
- 了解Windows 7附件工具的种类。
- 学会使用Windows 7附件工具。

【知识准备与操作要求】
Windows 7附件工具主要包括写字板、记事本、画图、计算器、截图工具、录音机、数学输入面板、Tablet PC等。

【实训内容与操作步骤】
Windows 7附件工具有很多，下面以记事本为例介绍具体使用方法。

Step 01 在Windows 7系统桌面单击左下角"开始"菜单按钮，在列表中选择"所有程序>附件>记事本"选项，如下左图所示。

Step 02 即可打开记事本工具，在记事本中字体默认为宋体、常规小四号文字，用户可以根据需要对文本格式进行设置。首先在"格式"菜单列表中选择"字体"选项，打开"字体"对话框，设置文字的字体、字形和大小后单击"确定"按钮，如下右图所示。

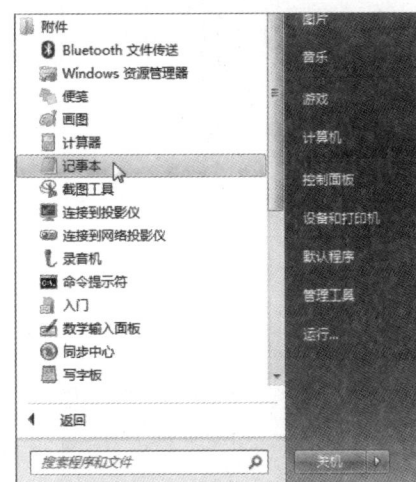
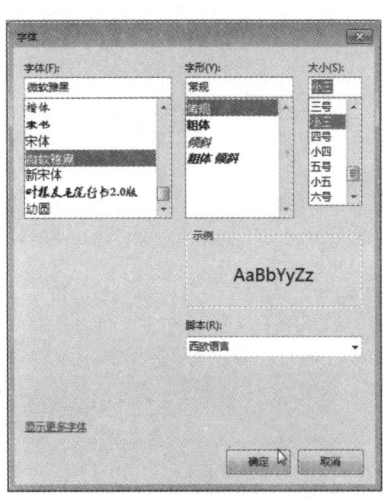

选择"记事本"选项　　　　　　　设置字体

Step 03 文本格式设置完成后，在记事本中输入文字，可见设置的文本格式对记事本中所有文字都适用。在记事本中不可以像Word一样只设置部分文字的格式，如下图所示。

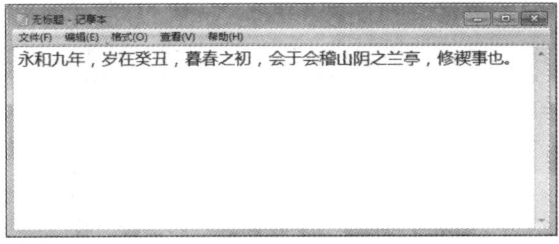

输入文字

Step 04 在"格式"菜单列表中选中"自动换行"选项，当在记事本中输入文字至边缘时，会自动换行，如下图所示。如果没有激活"自动换行"功能，则只有按Enter键才可以换行。

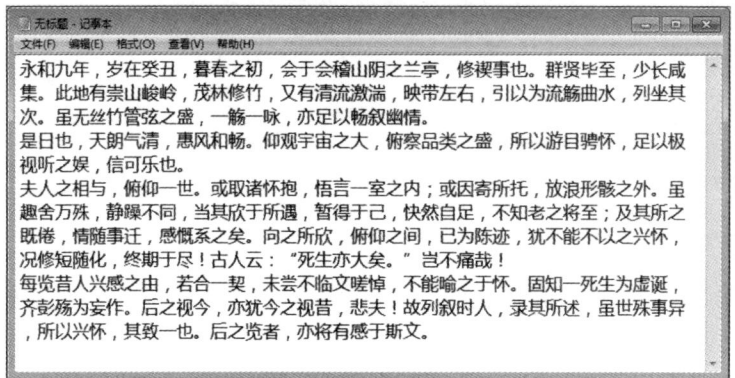

自动换行的效果

Step 05 记事本制作完成后，执行"文件>保存"命令，如下图所示。

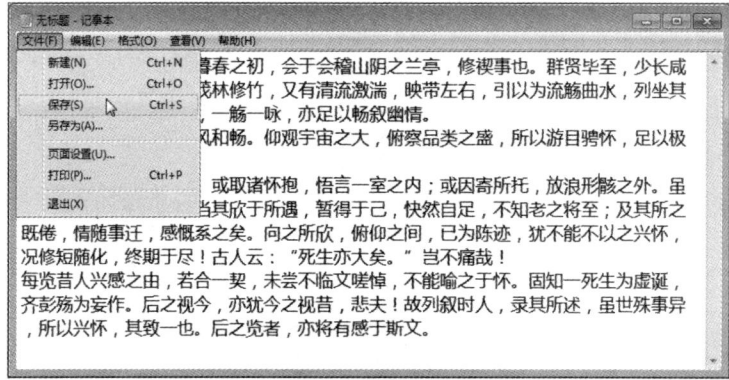

执行"保存"命令

Step 06 在打开的"另存为"对话框中选择保存路径和文件名称，单击"保存"按钮即可将其保存，如下图所示。

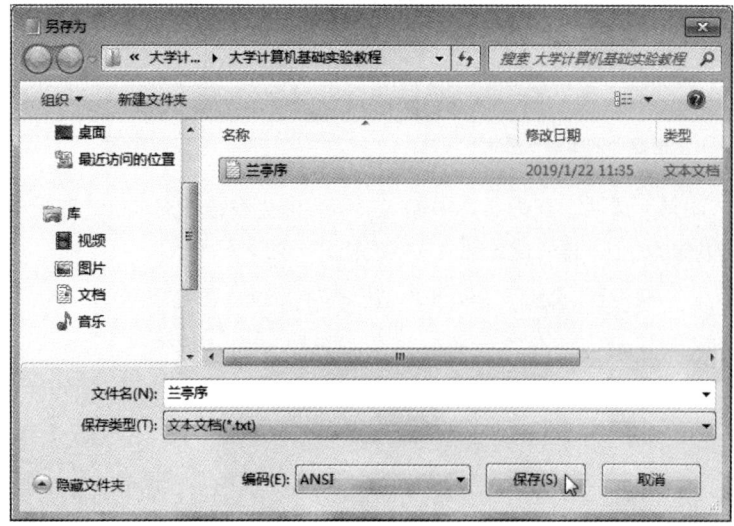

保存记事本

实训 09 磁盘碎片整理

【实训目的】
- 了解磁盘碎片整理的含义。
- 学会整理磁盘碎片的方法。

【知识准备与操作要求】

磁盘碎片整理，就是通过系统软件或者专业的磁盘碎片整理软件对电脑磁盘在长期使用过程中产生的碎片和凌乱文件重新整理，从而提高电脑的整体性能和运行速度。

当应用程序所需的物理内存不足时，一般操作系统会在硬盘中产生临时交换文件，用该文件所占用的硬盘空间虚拟成内存。虚拟内存管理程序会对硬盘频繁读写，产生大量的碎片，这是产生硬盘碎片的主要原因。

【实训内容与操作步骤】

下面介绍磁盘碎片整理的方法和操作步骤，具体如下。

Step 01 在Windows 7系统桌面单击左下角"开始"菜单按钮，在列表中选择"所有程序>附件>系统工具>磁盘磁片整理程序"选项，如右图所示。

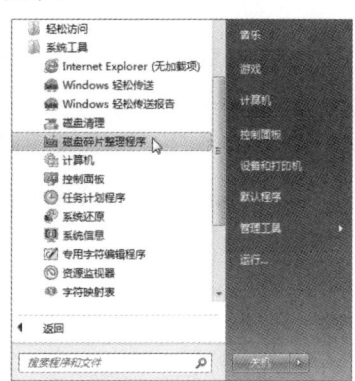

选择"磁盘磁片整理程序"选项

Step 02 弹出"磁盘磁片整理程序"对话框，选中需要进行碎片处理的磁盘，为了确认磁盘是否需要进行碎片处理，首先要分析磁盘，单击"分析磁盘"按钮，稍等片刻即可显示碎片所占的比例，如E盘碎片占比为21%。确定需要进行磁盘碎片整理后，单击"磁盘碎片整理"按钮，系统会自动进行磁盘碎片处理，如右图所示。

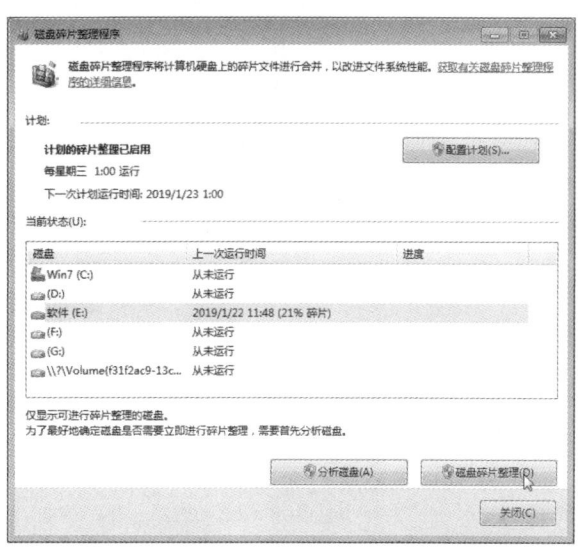

"磁盘碎片整理程序"对话框

Step 03 用户也可以通过相应的设置让计算机自动运行磁盘碎片整理。首先打开"磁盘碎片整理程序"对话框,单击"计划"选项区域中"配置计划"按钮。打开"磁盘碎片整理程序:修改计划"对话框,在打开的对话框中勾选"按计划运行"复选框,然后设置频率为"每周",日期为"星期三",时间为下午1点,然后单击"选择磁盘"按钮,如下图所示。

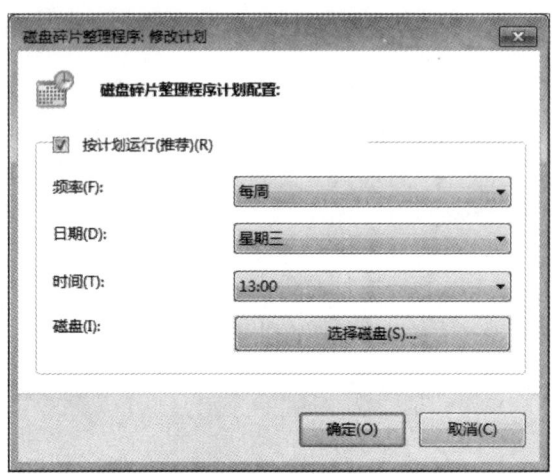

设置按计划运行的参数

Step 04 打开"磁盘碎片整理程序:选择计算整理的磁盘"对话框,用户可以根据需要在"要包含在计划中的磁盘"列表框中勾选相应的磁盘复选框,并单击"确定"按钮,如下图所示。返回上级对话框,单击"确定"按钮。系统会根据设置的时间自动对磁盘进行碎片整理。

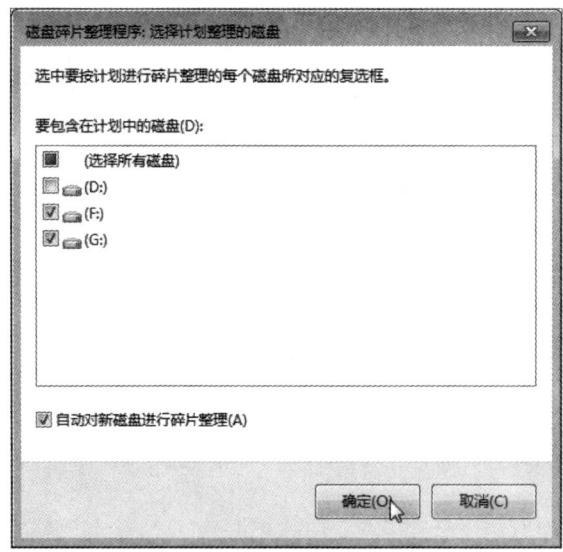

设置整理碎片的磁盘

Chapter 03

文字处理软件应用实训

本章概述

在办公自动化应用中,文字处理软件是工作和生活中使用最多的软件之一,主要用于对各类文稿进行输入、编辑、排版等。使用Word进行文字处理主要包括信函、公文、学术论文、个人简历合同等的制作。

实训重点

熟悉Word 2010工作界面
熟练掌握文档编排的方法
熟练掌握文本的输入与编辑操作
熟练掌握字符和段落格式的设置
熟练掌握Word中表格的应用
熟练掌握图片、形状和艺术字的应用
熟练掌握长文档目录的提取操作
掌握宏工具的使用方法
掌握批注、脚注和尾注的制作
掌握图表和SmartArt的应用

实训 01 应用Word编排文档

【实训目的】
- 熟悉Word 2010工作界面。
- 掌握文档编排的相关操作。

【知识准备与操作要求】
- 熟悉Word 2010软件的相关功能。
- 掌握新建、保存文档的方法。
- 学会使用键盘输入文本。
- 掌握文本格式的设置。
- 掌握段落格式的设置。

【实训内容与操作步骤】

Step 01 在文件夹中新建Word 2010文档,并命名为"兰亭集序",然后打开该文档。单击"文件"标签,在列表中选择"选项"选项,如下左图所示。

Step 02 打开"Word选项"对话框,在左侧选项列表框中选择"保存"选项❶,在右侧"保存文档"选项区域中勾选"保存自动恢复信息时间间隔"复选框❷,在右侧数值框中输入10❸,表示间隔10分钟自动保存,再勾选"如果我没保存就关闭,请保留上次自动保留的版本"复选框❹,最后单击"确定"按钮❺,如下右图所示。

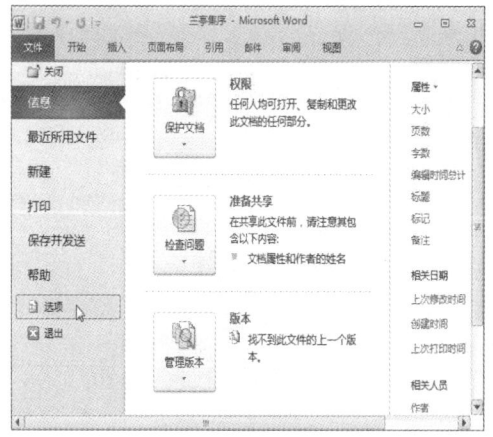
选择"选项"选项

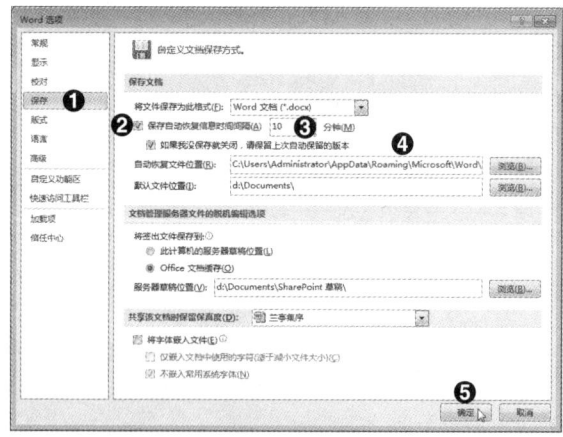
设置保存时间

Step 03 在文档的首行输入"兰亭集序"文本,然后按Enter键换行。选择输入的文本,在"字体"选项组中设置字体为"微软雅黑"、字号为"三号",如下左图所示。

Step 04 然后继续输入正文文字,每段文字输入完成后按Enter键换行。选中输入的正文文本,设置文本的格式、字体和字号等。保持正文为选中状态,单击"开始"选项卡"段落"选项组中对话框启动器按钮,打开"段落"对话框,在"缩进和间距"选项卡的"缩进"选项区域中单击"特殊格式"下三角按钮,在列表中选择"首行缩进"选项❶,保持右侧"磅值"为"2字符"❷,单击"确定"按钮❸,如下右图所示。

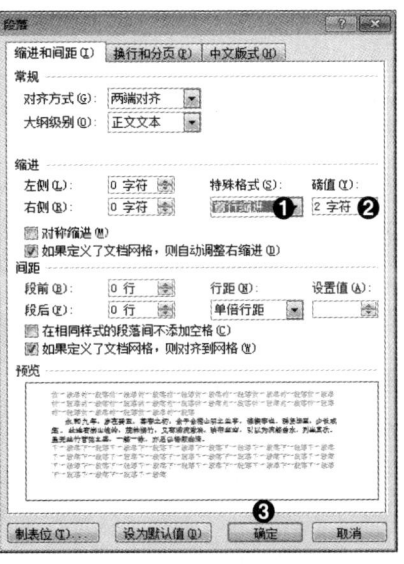

设置文本格式　　　　　　　　　　　　设置首行缩进

Step 05 可见选中文本的每个段落第一行左侧第一个文字缩进2个字符。保持正文为选中状态，在"段落"选项组中单击"行和段落间距"下三角按钮，在列表中选择1.15行距选项，再次单击该按钮，在列表中分别选择"增加段前间距"和"增加段后间距"选项，如下左图所示。操作完成后，可见每行之间距离增大了，段落与段落之间距离也增大了。

Step 06 选中所有正文文本，单击"字体"选项组的对话框启动器按钮，打开"字体"对话框，切换至"高级"选项卡，在"字符间距"选项区域中单击"间距"下三角按钮，在列表中选择"加宽"选项❶，保持右侧"磅值"为1磅❷，单击"确定"按钮❸，如下右图所示。设置完成后，选中文本的文字之间的距离增大了。

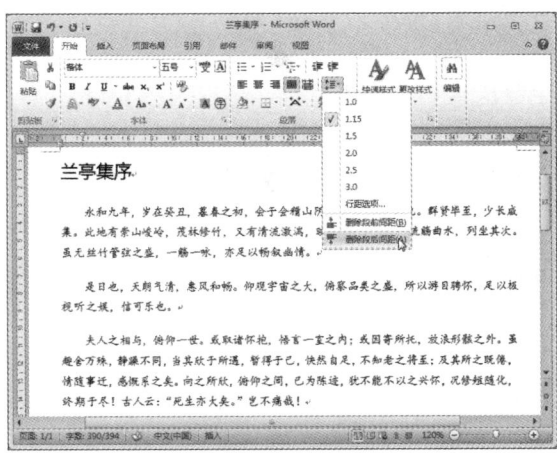 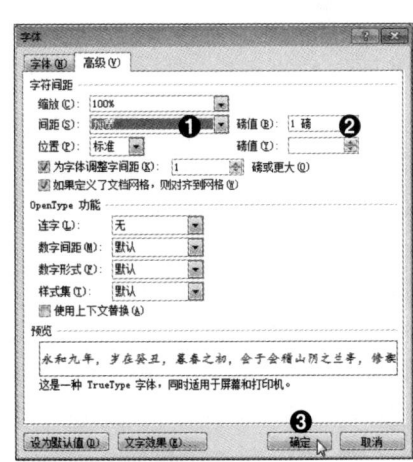

设置行距和段落间距　　　　　　　　　设置字符间距

Step 07 返回文档中再检查一下，发现标题还需要设置，则选中标题文本，单击"段落"选项组中"居中"按钮，使其居中对齐。然后根据之前的方法设置标题的文字间距和段落间距。操作完成后，执行"文件>保存"命令或者按Ctrl+S组合键进行保存。

实训 02 设置Word文档页面布局

【实训目的】
- 熟悉页面布局的含义。
- 掌握页面设置的方法。
- 掌握页面背景的设置方法。

【知识准备与操作要求】
- 设置文字方向。
- 设置页边距和纸张大小。
- 设置页面颜色。

【实训内容与操作步骤】

Step 01 新建空白文档,保存并命名为"页面布局设置",然后在文档中输入相应的文本,如"兰亭集序"。切换至"页面布局"选项卡,单击"页面设置"选项组中"文字方向"下三角按钮❶,在列表中选择"垂直"选项❷,如下图所示。

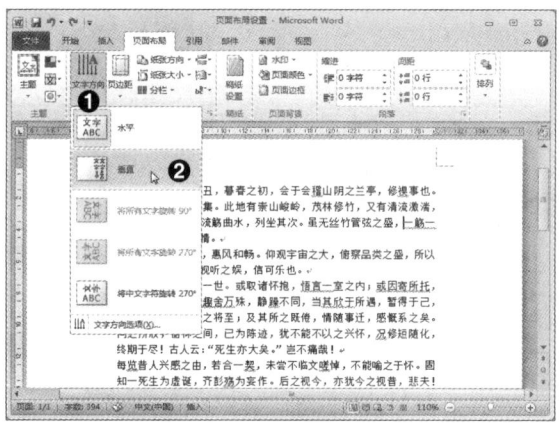

设置文字方向

Step 02 然后切换至"页面布局"选项卡,单击"页面设置"选项组中"页边距"下三角按钮❶,在列表中选择"自定义边距"选项❷,如右图所示。

Step 03 打开"页面设置"对话框,在"页边距"选项卡的"页边距"选项区域中设置上、下边距均为3厘米❶,将装订线位置在左侧1.5厘米处❷,如下左图所示。

Step 04 切换至"纸张"选项卡,在"纸张大小"选项组中设置宽度为25厘米❶,高度为18厘米❷,单击"确定"按钮❸,如下右图所示。

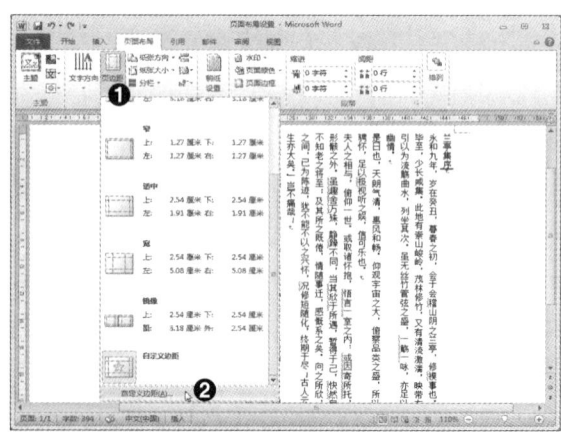

选择"自定义边距"选项

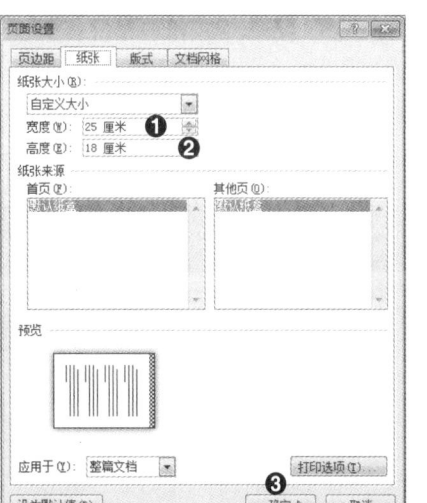

| 设置纸张大小 | 设置页边距 |

Step 05 单击"页面背景"选项组中"页面颜色"下三角按钮❶,在列表中选择合适的颜色❷,即可为页面添加背景颜色❸,如下图所示。

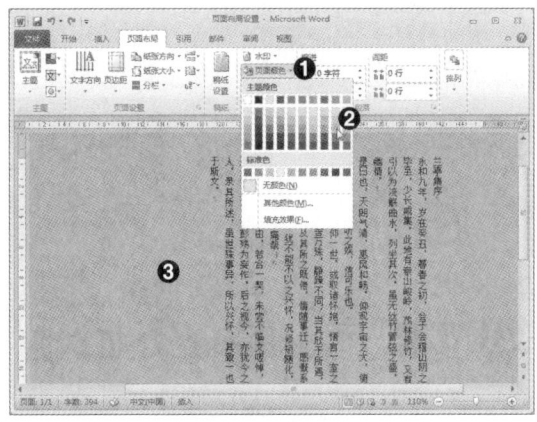

设置页面颜色

Step 06 页面布局设置完成后,再分别设置标题和正文的字符和段落格式。设置标题字体为微软雅黑、字号为三号、段前和段后均为1磅、字符间距为2磅;设置正文字体为隶书、大小为小四、字符间距为1磅、段前为1磅、行间距为1.15磅,并为正文添加青色底纹以突出显示,最终效果如下图所示。

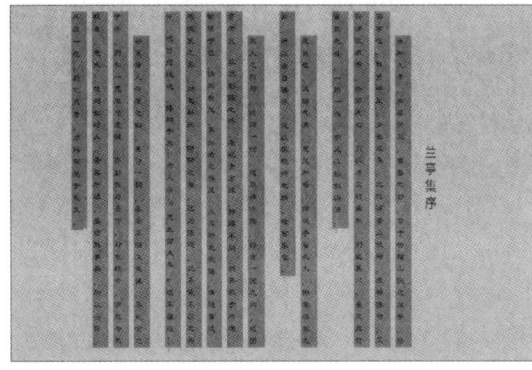

设置字符和段落格式

Step 07 文档设计完成后再添加密码进行保护，即执行"文件>信息"选项❶，单击右侧面板中的"保护文档"下三角按钮❷，在列表中选择"用密码进行加密"选项❸，如下左图所示。

Step 08 打开"加密文档"对话框，在"密码"数值框中输入密码，如123，单击"确定"按钮，如下右图所示。然后再确认密码，关闭该文档并保存，下次再打开时必须输入设置的密码才能查看此文档。

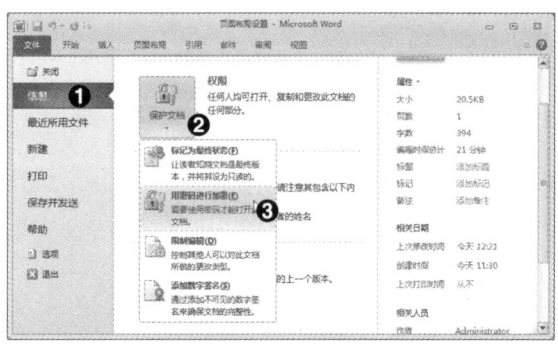 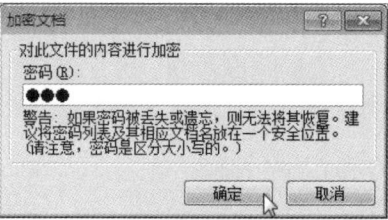

选择"用密码进行加密"选项　　　　　　　　　　　设置密码

实训 03 在Word中应用表格

【实训目的】
- 掌握创建表格的方法。
- 掌握表格的格式化操作。
- 掌握表格中数据的计算方法。
- 掌握宏工具的应用。

【知识准备与操作要求】
- 熟悉在Word中创建表格的方法。
- 掌握创建表格斜线的方法。
- 掌握数据计算的方法。
- 掌握表格样式的应用。
- 掌握表格的基本操作。

【实训内容与操作步骤】

● 制作考试成绩表

Step 01 新建空白Word文档，在首行输入"机械工程1班考试成绩表"文本，按Enter键后，接着输入其他相关文本。切换至"插入"选项卡，单击"表格"选项组中"表格"下三角按钮，在列表中选择"插入表格"选项，打开"插入表格"对话框，设置列数为8❶、行数为11❷，单击"确定"按钮❸，如下左图所示。

Step 02 即可在光标定位处插入表格，选中第一列的第一个单元格和第二个单元格并右击❶，在快捷菜单中选择"合并单元格"命令❷，如下右图所示。可以将选中的两个单元格合并成一个大的单元格，然后按照相同的方法对其他需要合并的单元格进行合并。

"插入表格"对话框　　　　　　　　"管理帐户"窗口

Step 03 在表格中输入相关的文本内容,读者需要注意第二列的第一个单元格中输入的文本,分两行输入,因为在该单元格中需要设置斜线。切换至"插入"选项卡,单击"插图"选项组中"形状"下三角按钮❶,在列表中选择"直线"形状❷,如下图所示。

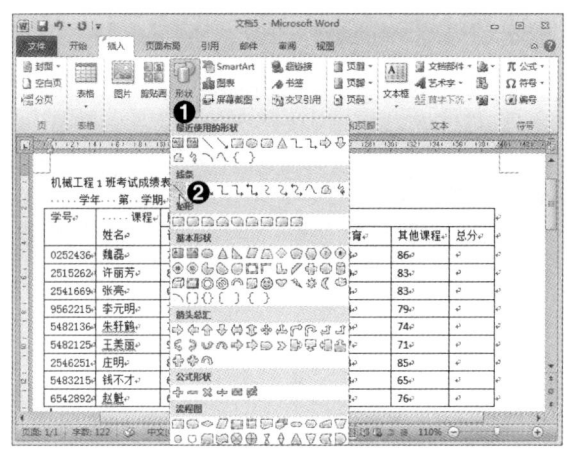

选择直线形状选项

Step 04 在表格第一列的第一个单元格中由左上角向右下角绘制直线。切换至"绘图工具-格式"选项卡,单击"形状样式"选项组中"形状轮廓"下三角按钮❶,在列表中选择颜色为黑色,并设置直线的宽度为1磅❷,如下图所示。

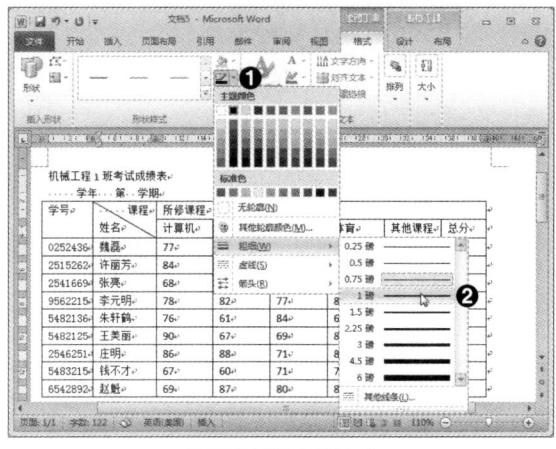

设置绘制的直线格式

● 使用公式计算学生总分

在Word中用户也可以使用公式计算数据，如在成绩表中计算每位学生的总分。选择"魏磊"学生对应的总分单元格❶，切换至"表格工具-布局"选项卡，单击"数据"选项组中"公式"按钮❷，如下左图所示。

打开"公式"对话框，在"公式"文本框中显示了"=SUM（LEFT）"公式❶，单击"确定"按钮❷，如下右图所示。操作完成后，即可在选中的单元格中显示计算该学生的考试总分。

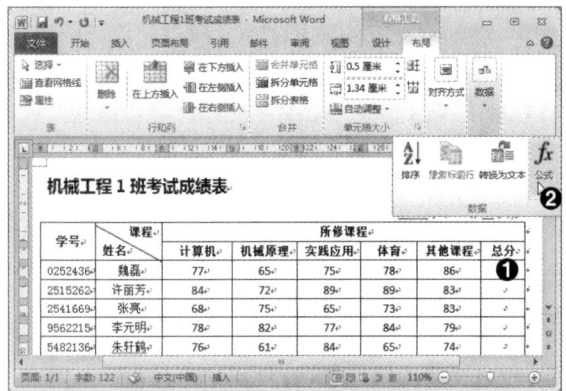
单击"公式"按钮

"公式"对话框

提示：使用F4功能键快速计算其他学生的总分

用户在使用公式计算出学生的总分后，可以使用F4功能键快速计算出其他学生成绩的总分。具体操作方法是：选中对应的单元格，然后直接按F4功能键即可计算出结果。

● 使用宏计算学生的总分

除了上述介绍的计算学生总分的方法外，还可以使用宏快速进行计算。宏是存储了一系列操作命令的集合，通过录制、执行宏可以重复回放这些操作。下面介绍具体操作方法。

Step 01 将光标定位在"魏磊"学生总分的单元格❶，切换至"视图"选项卡，单击"宏"选项组中"宏"下三角按钮❷，在列表中选择"录制宏"选项❸，如下左图所示。

Step 02 打开"录制宏"对话框，在"宏名"文本框中输入宏的名称，此处输入"计算总分"❶，然后单击"将宏指定到"选项区域中"键盘"按钮❷，如下右图所示。

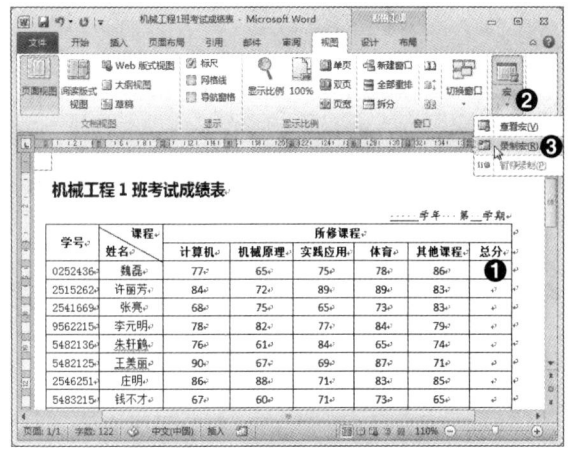
选择"录制宏"选项

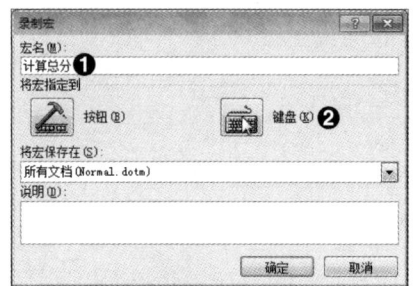
"录制宏"对话框

Step 03 打开"自定义键盘"对话框,通过键盘输入指定快捷键❶,即可在"请按新快捷键"文本框中显示设置的组合键,单击"指定"按钮❷,然后单击"关闭"按钮❸,关闭该对话框,如下图所示。

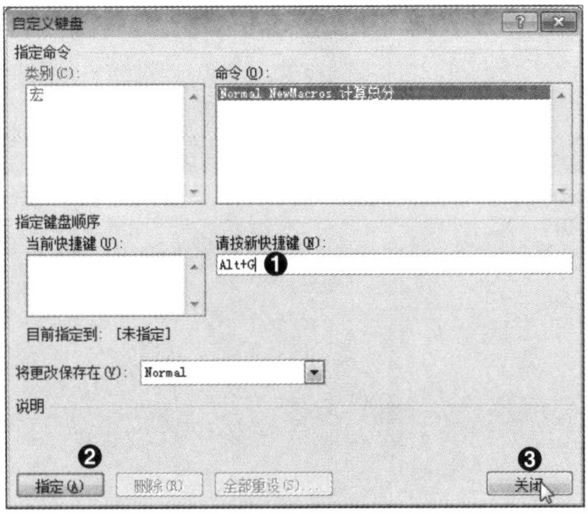

"自定义键盘"对话框

接着使用公式计算出总分,再次切换至"视图"选项卡,单击"宏"选项组中"宏"下三角按钮,在列表中选择"停止录制"选项。最后将光标定位到需要计算学生总分的单元格,按Alt+G组合键,即可快速计算出该学生的总分。

实训 04 在Word中应用图片、形状和艺术字

【实训目的】
- 掌握形状的应用。
- 掌握图片的应用。
- 掌握文本框的应用。
- 掌握艺术字的应用。

【知识准备与操作要求】

首先学习形状、图片和艺术字的应用。在Word中除了可以进行文字编辑和排版功能外,还可以制作各种明信片、宣传手册、海报等。

【实训内容与操作步骤】

● 形状的应用

Word中包含很多种形状供用户使用,如线条、矩形、基本形状、箭头总汇、公式形状、流程图、星与旗帜等。

Step 01 新建Word文档并保存在合适位置,命名为"音乐会海报"。切换至"页面布局"选项卡,单击"页面设置"选项组中"纸张大小"下三角按钮,在列表中选择"其他页面大小"选项。打开"页面设置"对话框,在"纸张"选项卡中设置宽度为14厘米、高度为10厘米,单击"确定"按钮,如下左图所示。

Step 02 切换至"插入"选项卡,单击"插图"选项组中"形状"下三角按钮❶,在列表中选择矩形形状选项❷,如下右图所示。选择完成后光标变为十字形状,在文档中绘制和纸张大小相同的矩形。

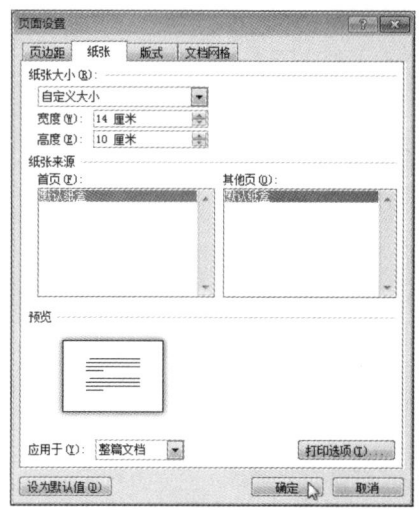

设置页面大小

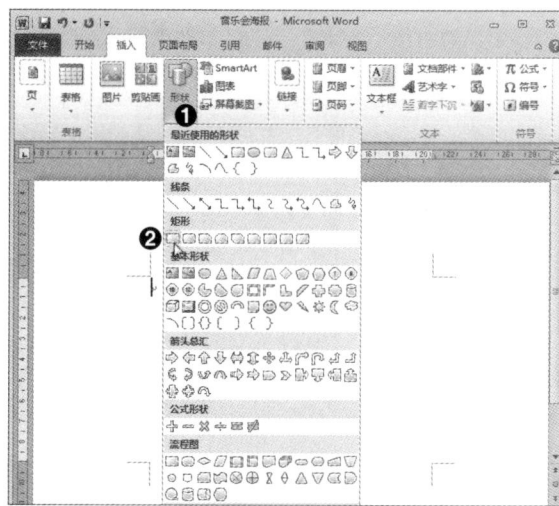

选择矩形形状选项

Step 03 切换至"绘图工具-格式"选项卡,单击"形状样式"选项组中"形状轮廓"下三角按钮,在列表中选择"无轮廓"选项。再单击"形状填充"下三角按钮❶,在列表中选择"图片"选项❷,如下左图所示。

Step 04 打开"插入图片"对话框,选择准备好的背景图片❶,单击"插入"按钮❷,如下右图所示。即可将选中的图片插入到矩形形状中。

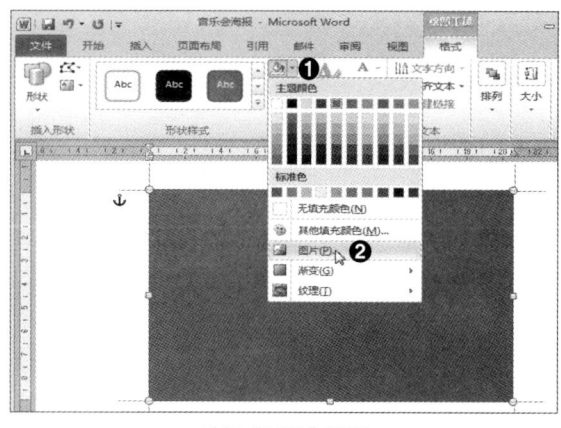

选择"图片"选项

插入图片

● **图片的应用**

在Word中插入图片后,还可以根据设计需要对图片进行处理,如删除背景、旋转、设置颜色、添加艺术效果等。

Step 01 切换至"插入"选项卡,单击"插图"选项组中"图片"按钮。打开"插入图片"对话框,选择麦克风图片,单击"插入"按钮,即可在文档中插入图片,然后调整图片至合适的大小。切换至"图片工具-格式"选项卡,单击"排列"选项组中"自动换行"下三角按钮❶,在列表中选择"浮于文字上方"选项❷,如下左图所示。

Step 02 选择插入的图片并移动至和矩形形状左下角对齐,切换到"图片工具-格式"选项卡,单击"调整"选项组中"删除背景"按钮,适当调整控制点,单击"保留更改"按钮,即可将图片的背景删除,如下右图所示。

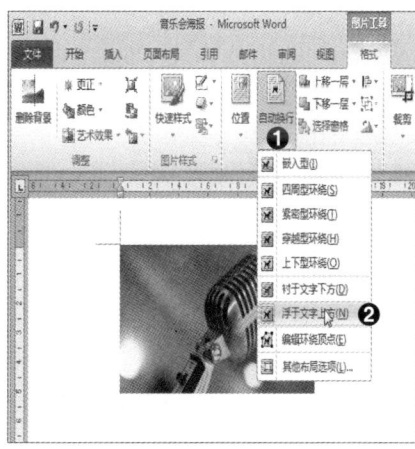
设置图片浮于文字上方

删除图片背景

Step 03 根据相同的方法添加"乐器"图片,并移至右下角。单击"排列"选项组中"旋转"下三角按钮,在列表中选择"向左旋转90°"选项,即可对选中的图片进行旋转。切换至"图片工具-格式"选项卡,单击"图片样式"选项组中"图片效果"下三角按钮❶,在列表中选择"发光"选项❷,在子列表中选择合适的发光效果❸,如下图所示。

设置图片效果

● **文本框和艺术字的应用**

校园音乐会海报背景制作完成后,要想在图形和形状上添加文字,用户可以使用文本框和艺术字功能。

Step 01 切换至"插入"选项卡,单击"文本"选项组中"文本框"下三角按钮,在列表中选择"绘制文本框"选项。光标变为黑色十字时,在文档中拖曳绘制文本框,然后在文本框中输入相关文字即可,如下左图所示。

Step 02 选中插入的文本框,切换至"绘图工具-格式"选项卡,在"形状样式"选项组中设置形状填充为"无填充"、形状轮廓为"无轮廓"。然后在"开始"选项卡的"字体"选项组中设置字体格式,效果如下右图所示。

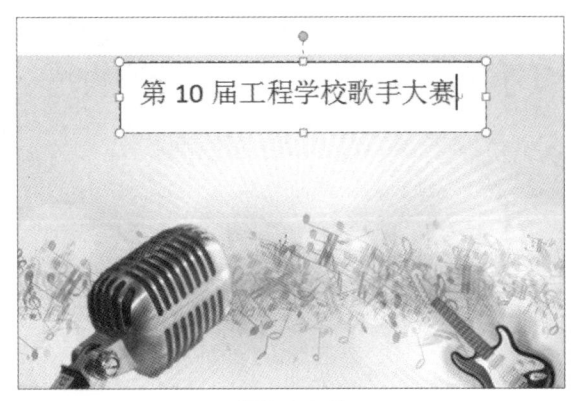
插入文本框

设置文本框和字体样式

Step 03 在制作海报时,用户还可以通过添加艺术字的方式,为海报添加艺术效果。首先切换至"插入"选项卡,单击"文本"选项组中"艺术字"下三角按钮,在列表中选择合适的艺术字样式,如下图所示。

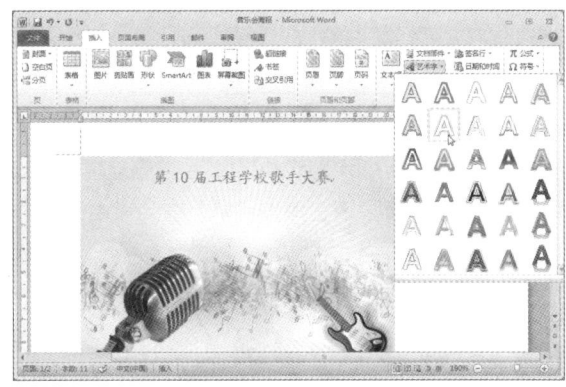
选择艺术字样式

Step 04 在文档中插入艺术字文本框后,删除文本框中所有文字并输入"校园音乐会"文本。用户可以文本框的控制点调整其位置和大小。切换至"开始"选项卡,在"字体"选项组中设置文本框中的字体格式,使其更具有活力。切换至"绘图工具-格式"选项卡,在"艺术字样式"选项组中设置文本填充的颜色,效果如下左图所示。

Step 05 在"艺术字样式"选项组中单击"文字效果"下三角按钮❶,在列表中选择"映像"选项,在子列表中选择合适的映像变体选项❷,即可为艺术字添加映像效果,如下右图所示。

设置艺术字的填充颜色

设置艺术字的映像效果

Step 06 选择艺术字,切换至"开始"选项卡,单击"字体"选项组的对话框启动器按钮,打开"字体"对话框,在"高级"选项卡的"字符间距"选项区域中设置间距为"加宽"❶、磅值为1.5磅❷,单击"确定"按钮❸,即可增加字符之间的间距,如下左图所示。

Step 07 然后根据相同的方法在海报中添加其他文本框,输入文字并设置字体的格式。然后设置各元素的对齐方式,使海报更加整齐。选择添加的元素,切换至"图片工具-格式"选项卡,单击"排列"选项组中"组合"下三角按钮,在列表中选择"组合"选项,如下右图所示。

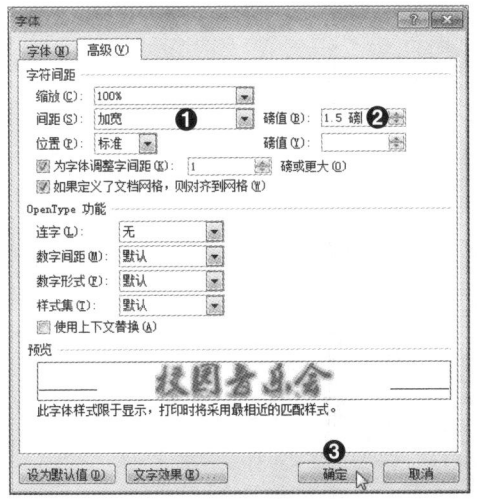
设置字符间距

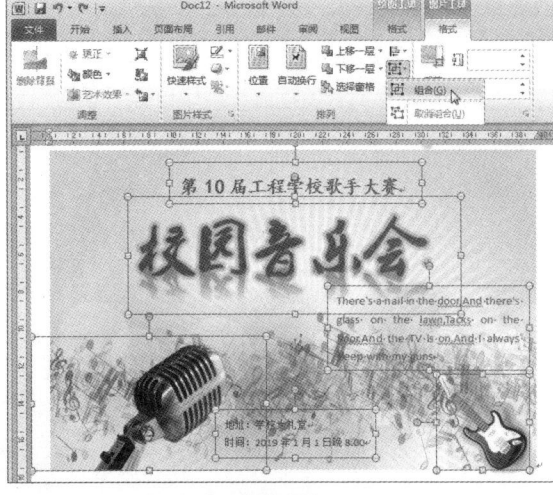
组合元素

Step 08 至此,音乐会海报制作完成,最终效果如下图所示。

查看制作的音乐会海报效果

实训 05 对长文档进行操作

【实训目的】
- 掌握样式的应用。
- 掌握目录的提取方法。
- 掌握目录的更新方法。

- 掌握导航窗格的使用。
- 掌握批注的应用。
- 掌握脚注和尾注的添加方法。

【知识准备与操作要求】

学习长文档的基本操作。

【实训内容与操作步骤】

- **应用样式并查看效果**

Step 01 打开长文档，选择需要应用样式的文本，如"Chapter 09 蒙版和通道"❶，切换至"开始"选项卡❷，单击"样式"选项组中"快速样式"下三角按钮❸，在列表中选择"标题1"样式选项❹，如下图所示。即可完成样式的应用。

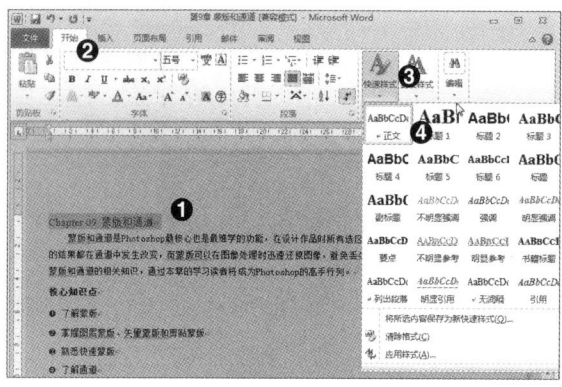

选择合适的样式

Step 02 然后选择"9.1认识蒙版"和"9.2图层蒙版"等标题文本，为其应用"标题2"样式；为"9.1.1蒙版的分类"等标题文本应用"标题4"样式。设置完成后，切换至"视图"选项卡，勾选"显示"选项组中"导航窗格"复选框❶。即可在文档的左侧打开"导航"窗格❷，显示设置不同级别样式的效果，如下图所示。

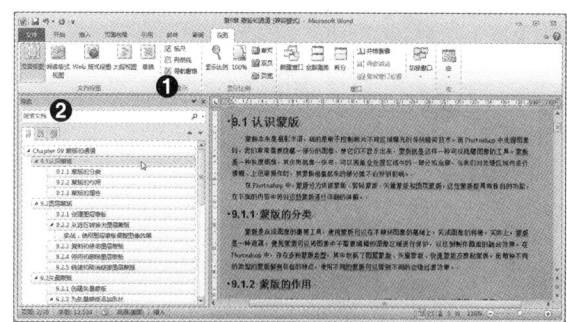

"导航"窗格

- **提取目录**

Step 01 将光标定位在文档的最前面，切换至"插入"选项卡，单击"页"选项组中"空白页"按钮，即可在最前面添加空白页，输入"目录"文本后，设置文本的格式。

Step 02 将光标定位在"目录"文本的下一行，切换至"引用"选项卡，单击"目录"选项组中"目录"下三角按钮,在列表中选择"插入目录"选项。打开"目录"对话框,切换至"目录"选项卡❶,在"常规"选项区域中设置"格式"为"正式"❷,设置显示级别为4❸,其他参数保持不变,然后单击"确定"按钮❹,如下左图所示。

Step 03 即可在光标定位处提取长文档的目录,如果按住Ctrl键单击某标题,会自动跳转至指定的页面,如下右图所示。

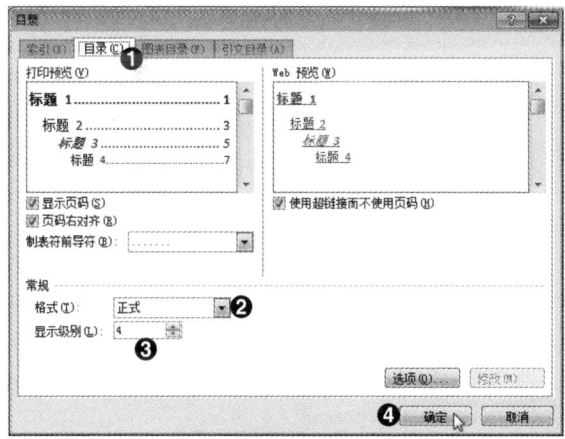
"目录"对话框

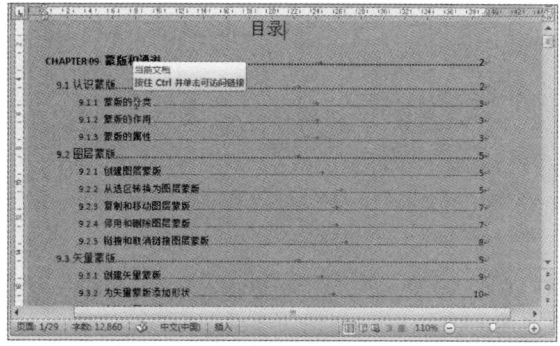
查看提取的目录

● 添加批注、脚注和尾注

在Word中,读者可以对较难理解的内容通过添加脚注的方式进行解释说明;对于引用的文献来源,可以通过添加尾注的方式进行说明;对于阅读时读者的建议或意见,可以通过添加批注的方式进行标注。

※ 如果需要添加批注,首先将光标定位在所需的位置❶,切换至"审阅"选项卡❷,单击"批注"选项组中"新建批注"按钮❸,如下左图所示。然后在批注框内输入批注。如果需要删除批注,则选中批注,单击"批注"选项组中"删除"按钮即可。

※ 插入脚注和尾注的方法类似,将光标定位在所需位置❶,切换至"引用"选项卡❷,单击"脚注"选项组中"插入脚注"或"插入尾注"按钮❸,即可完成添加脚注或尾注的操作,如下右图所示。

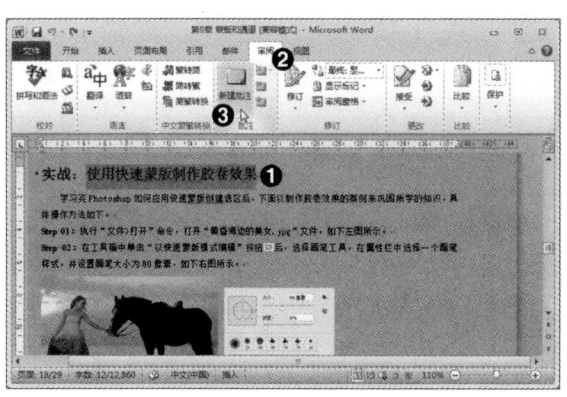
新建批注

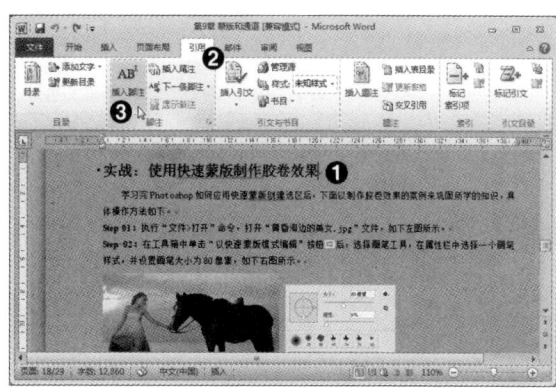
插入脚注和尾注

实训 06 在Word中应用图表和SmartArt图形

【实训目的】
- 掌握创建图表的方法。
- 掌握利用图表展示数据的方法。
- 掌握美化图表的方法。
- 掌握SmartArt图形的创建方法。

【知识准备与操作要求】
- 了解Word 2010的图表类型。
- 学会使用图表展示数据。
- 掌握各种控件按钮的使用方法。
- 了解SmartArt图形的类型。
- 掌握创建SmartArt图形的方法。

【实训内容与操作步骤】

● 创建图表

将光标定位在需要插入图表的位置，切换至"插入"选项卡，单击"插图"选项组中"图表"按钮。打开"插入图表"对话框，选择合适的图表类型，单击"确定"按钮，如下图所示。此时在Word文档中显示选择的图表类型，同时打开Excel工作表，读者根据实际的数据进行填写，然后关闭工作表即可。

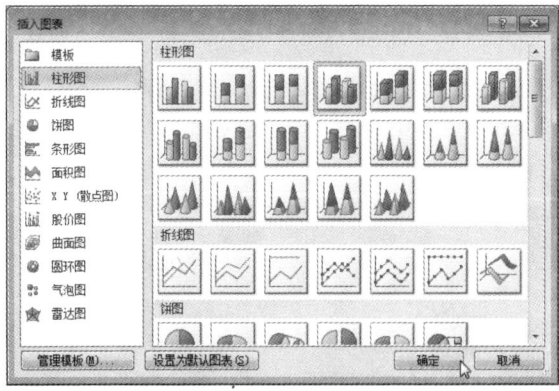

"插入图表"对话框

● 编辑图表

图表创建完成后，在功能区中显示"图表工具"相关选项卡，在"设计"选项卡中读者可以对图表的类型、数据、布局和样式进行修改；在"布局"选项卡中可以添加为图表添加各种元素、添加形状和文本框、设置图表的背景等；在"格式"选项卡中设置图表的形状样式、艺术字样式等，如下图所示。

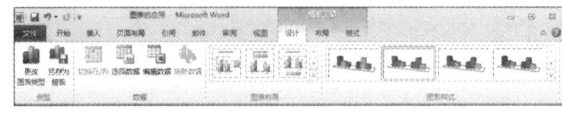

"设计"选项卡

● 插入SmartArt图形

将光标定位在需要插入SmartArt图形的位置，切换至"插入"选项卡，单击"插图"选项组中SmartArt按钮。打开"选择SmartArt图形"对话框，选择合适的图形，单击"确定"按钮即可，如下图所示。

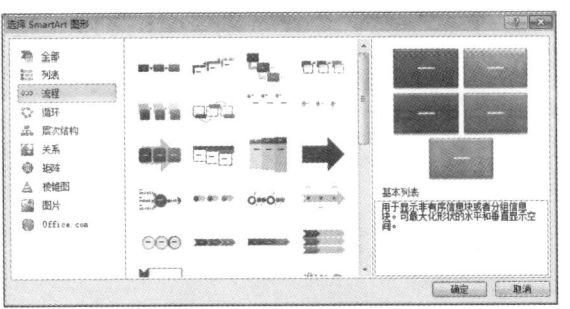

"选择SmartArt图形"对话框

实训 07 使用ScienceWord绘制立体几何图形

【实训目的】
- 了解ScienceWord的相关功能。
- 掌握ScienceWord绘图功能的应用。

【知识准备与操作要求】

ScienceWord是一款科技文档字处理软件，主要用于编写教学讲义、试卷、科技论文、科技图书等等。通过本实验，使读者能够掌握使用ScienceWord软件绘制立体几何图形的方法。

【实训内容与操作步骤】

● 绘制立体几何图形

打开ScienceWord软件，在工作区输入题干的内容，然后单击界面左下角的"绘图"按钮，在列表中选择"立体几何"选项，在子列表中选择正方体图形。此时光标变为铅笔形状，在工作区单击即可添加选中的立体几何图形，拖曳四周控制点调整图形的大小，如下图所示。

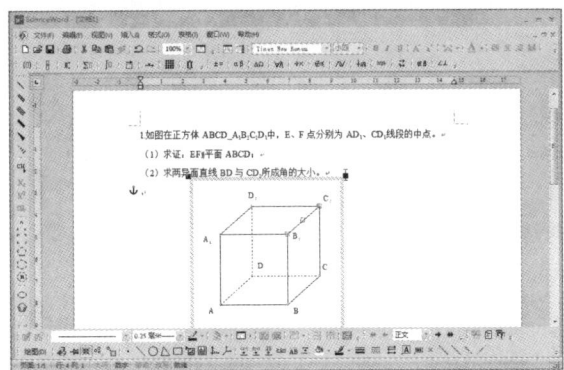

查看创建的立体几何图形效果

根据题干还需要添加线段，则单击"绘图"工具栏中"直线"按钮，连接A和D1点。此时直线的实线，若需要将其更改为虚线，则保持该线为选中状态，单击"绘图"工具栏中"线型"按钮，在列表中选择合适的线型。然后根据相同的方法绘制其他参考线，如右图所示。

在绘制AD1和CD1线段的中点时，将光标移至线段上移动，当移至中点时，在光标处显示"线中点"文本然后进行绘制即可。

● 添加文字标注

下面介绍在绘制好的立体几何图形中AD1和CD1线段的中点标注文字。首先选择AD1线段的中点，单击"绘图"工具栏中"标注对象"按钮，打开"标注"对话框，用户可以根据需要设置标注文字的字体、字号等格式，在"字符"文本框中输入E，单击"确定"按钮，如下左图所示。即可在选中点处显示标注的文本，根据相同的方法标注其他点。

至此，立体几何图形绘制完成，然后执行"文件>保存"命令，将其保存到指定的位置并进行命名，效果如下右图所示。

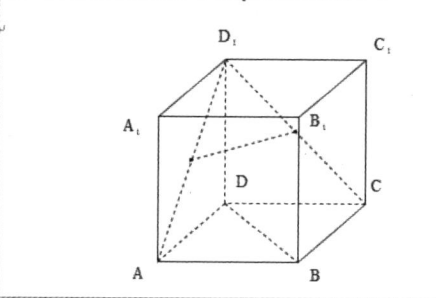
添加参考线

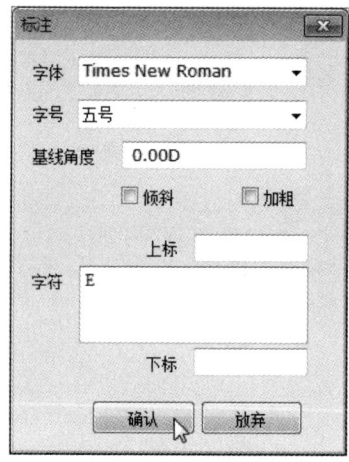
"标注"对话框

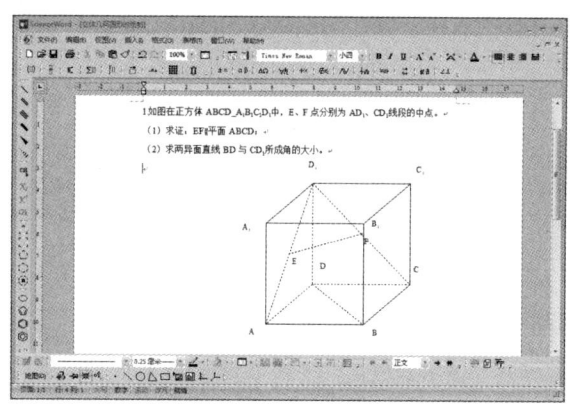
查看绘制的立体几何图形效果

Chapter 04

电子表格软件应用实训

本章概述

Excel电子表格是微软公司出品的Office系列办公软件中的一个组件，可以用来制作电子表格、完成许多复杂的数据运算，进行数据的分析、展示和预测。Excel作为全球使用频率最高的表格数据管理软件，已成为国内外广大用户管理公司和个人财务、统计数据、制作各种专业化表格的得力助手。

实训重点

熟悉Excel 2010工作界面
熟练掌握Excel电子表格的制作方法
熟练掌握Excel电子表格的基本操作
熟练掌握Excel电子表格的格式化操作
熟练掌握Excel数据的管理和分析操作
熟练掌握Excel公式与函数的应用
熟练掌握Excel图表的应用
熟练掌握Excel工作表的安全设置

实训 01 创建Excel工作表

【实训目的】

- 熟悉Excel 2010工作界面。
- 掌握Excel工作表的创建、重命名和保存方法。
- 掌握电子表格的安全设置方法。
- 掌握不同类型数据的输入方法。
- 掌握表格边框的设计方法。
- 掌握行高和列宽的设置方法。

【知识准备与操作要求】

- 了解Excel 2010工作界面的组成部分。
- 掌握数据的输入方法。
- 掌握电子工作表的编辑操作。

【实训内容与操作步骤】

● 表格数据的输入

Step 01 打开Excel 2010应用程序，对打开的空白工作表进行保存，命名为"班会签到表"。单击工作区底部的"插入工作表"按钮，即可插入新的工作表。双击工作表的名称，此时工作表名称处于可编辑状态，输入"2019年第一学期班会"，然后按Enter键即可完成工作表的重命名。

Step 02 为了突出该工作表，可以设置工作表标签的颜色，即右击工作表标签❶，在快捷菜单中选择"工作表标签颜色"命令，在子命令面板中选择合适的颜色❷，如下左图所示。

Step 03 在工作表中选中A1单元格，输入"生物工程1班2019年第一次班会出勤统计表"文本，然后再输入表格的标题和员工的相关信息，如员工的姓名、性别、联系方式等。

Step 04 选择A3：A20单元格区域，按Ctrl+1组合键打开"设置单元格格式"对话框，在"数字"选项卡的"分类"列表框中选择"自定义"选项❶，在面板右侧的"类型"文本框中输入000000❷，然后单击"确定"按钮❸，如下右图所示。设置完成后在该单元格区域内输入数字时，如果不够6位数则在最左侧添加0以满足6位数。

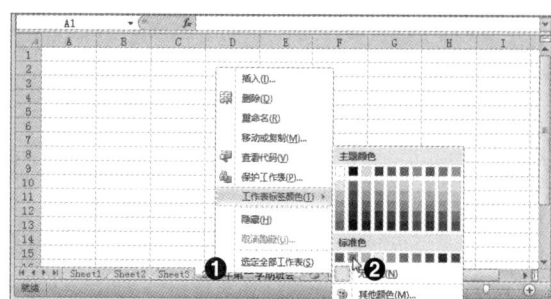

设置工作表标签的颜色

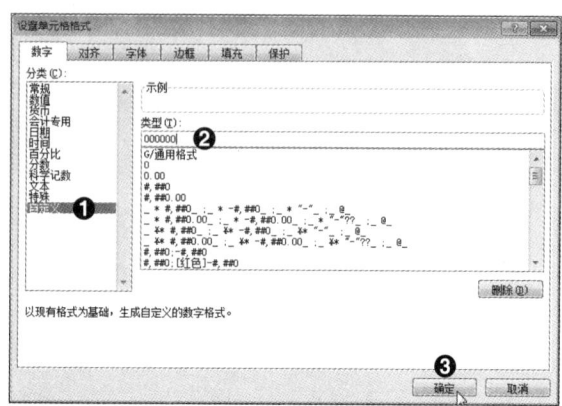

设置以0开头的数字

Step 05 为了规范学生的签到,需要使用数据有效性功能对其进行签到内容进行约束。选择E3:E20单元格区域❶,切换至"数据"选项卡,单击"数据工具"选项组中"数据有效性"按钮❷,如下图所示。

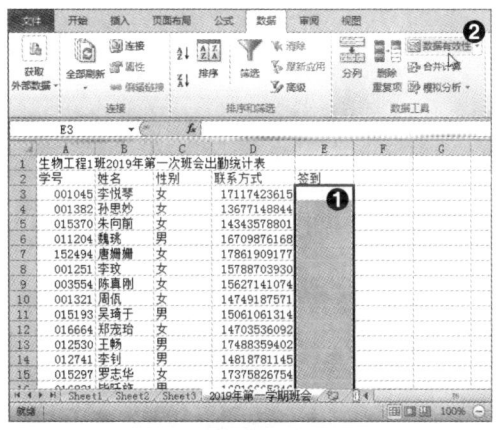

单击"数据有效性"按钮

Step 06 打开"数据有效性"对话框,在"设置"选项卡中单击"允许"下三角按钮,在列表中选择"序列"选项❶,在"来源"文本框中输入"准点,迟到,缺席"文本❷,如下图所示。在"来源"文本框中输入文本时,需要注意逗号是在英文状态下的。

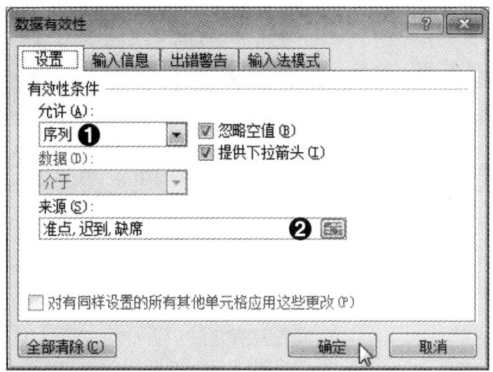

设置数据序列

Step 07 切换至"出错警告"选项卡❶,保持"样式"为"停止"❷,在"标题"文本框中输入"规范签到内容!"文本❸,在"错误信息"文本框中输入"请单击单元格右侧下三角按钮,在列表中选择合适选项。"文本❹,单击"确定"按钮,如下图所示。

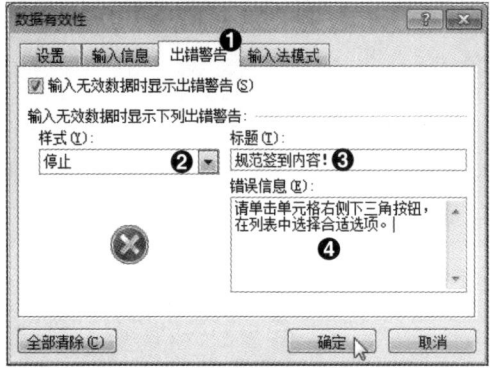

设置出错警告

Step 08 返回工作表中，选中E3:E20单元格区域任意单元格，右侧显示下三角按钮，在列表中选择合适的选项即可。如果在E3:E20单元格区域中输入了不符合规范的内容，则系统弹出提示对话框，拒绝不符合要求文本内容的输入，如下图所示。

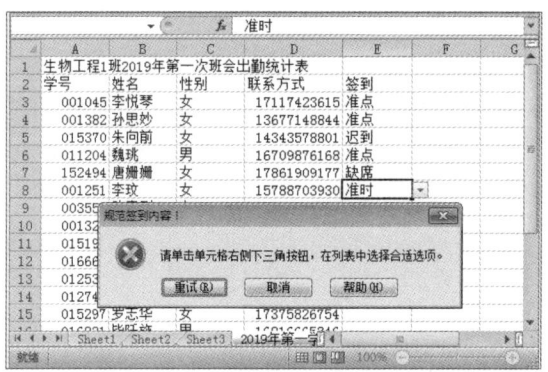

提示对话框

● **设置表格的边框**

Step 01 选择A1:E1单元格区域并合并单元格，然后根据需要设置表格标题和内容的格式。选择A2:E20单元格区域❶，在"开始"选项卡中单击"对齐方式"选项组中"居中"按钮❷，如下图所示。

设置对齐方式

Step 02 保持该单元格区域为选中状态，单击"字体"选项组的对话框启动器按钮，打开"设置单元格格式"对话框，切换至"边框"选项卡。在"样式"列表框中选择细实线选项❶，然后单击"颜色"下三角按钮❷，在列表中选择蓝色，最后单击"内部"按钮❸，即可完成表格内部边框的设置。根据相同的方法设置外边框的线条样式，设置完成后单击"确定"按钮，如下图所示。

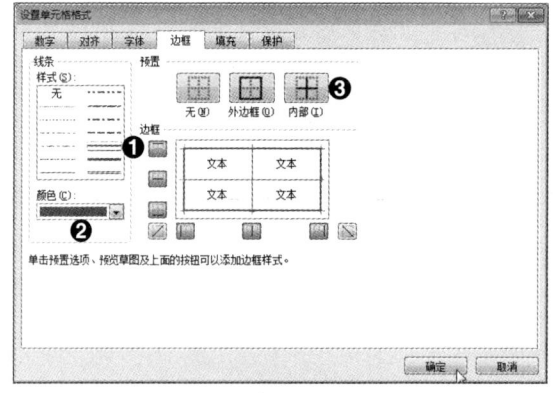

设置表格的边框样式

● 保护工作表

表格制作完成后，用户可以对工作表进行加密保护。切换至"审阅"选项卡，单击"更改"选项组中"保护工作表"按钮。打开"保护工作表"对话框，在"取消工作表保护时使用的密码"文本框中输入密码，如下左图所示。然后在打开的对话框中再次输入设置的密码，单击"确定"按钮，即可完成保护工作表的操作。当其他用户对工作表中内容或格式进行修改时，则系统弹出提示对话框，显示该工作表受保护。

如果需要撤销工作表的密码保护，则切换至"审阅"选项卡，单击"更改"选项组中"撤销工作表保护"按钮，在打开的对话框中输入设置的密码，单击"确定"按钮即可，如下右图所示。

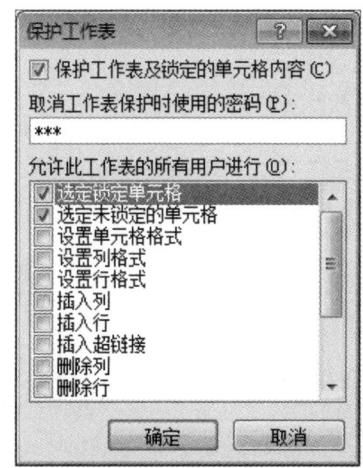
设置保护工作表密码

撤销工作表保护

实训 02 方差分析实训

【实训目的】

- 了解方差分析的概念。
- 掌握分析工具库的添加方法。
- 掌握方差分析数据的方法。

【知识准备与操作要求】

方差分析(Analysis of Variance，简称ANOVA)，又称"变异数分析"，是R.A.Fisher发明的，用于两个及两个以上样本均数差别的显著性检验。

方差分析的基本思想是：通过分析研究不同来源的变异对总变异的贡献大小，从而确定可控因素对研究结果影响力的大小。根据资料设计类型的不同，有以下两种方差分析的方法：

- 对成组设计的多个样本均值比较，应采用完全随机设计的方差分析，即单因素方差分析。
- 对随机区组设计的多个样本均值比较，应采用配伍组设计的方差分析，即两因素方差分析。

【实训内容与操作步骤】

● 添加分析工具库

Step 01 打开"本年度考试成绩分析.xlsx"工作簿，单击"文件"标签，在列表中选择"选项"选项。

打开"Excel选项"对话框，在左侧列表框中选择"加载项"选项❶，在右侧面板中单击"转到"按钮❷，如下图所示。

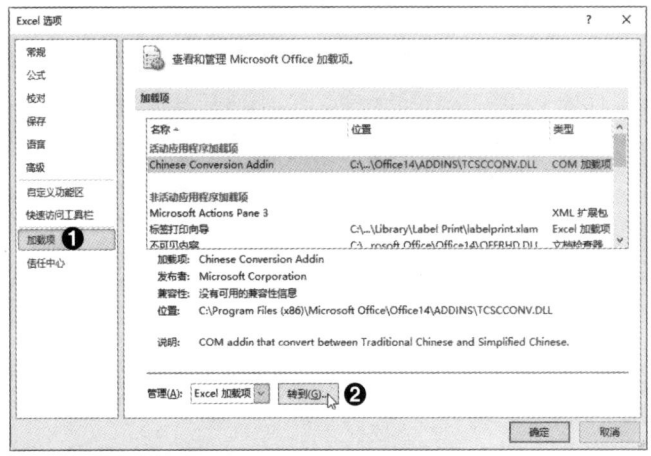

"Excel选项"对话框

Step 02 打开"加载宏"对话框，在"可用加载宏"列表框中勾选"分析工具库"复选框❶，单击"确定"按钮❷，如下左图所示。

Step 03 返回工作表中，切换至"数据"选项卡❶，可见在功能区添加"分析"选项组❷，并显示"数据分析"按钮❸，如下右图所示。

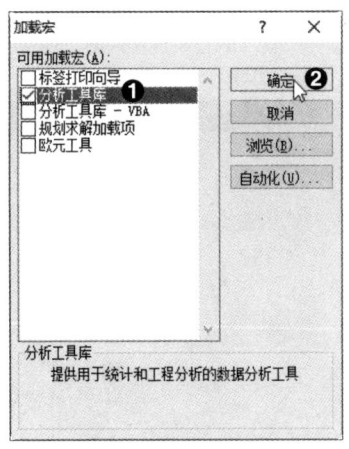

勾选"分析工具库"复选框

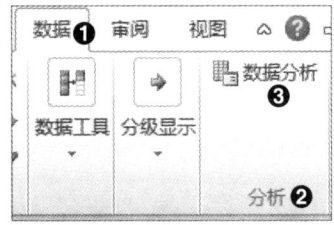

查看添加数据分析效果

● **方差分析学生的成绩**

Step 01 单击"分析"选项组中"数据分析"按钮，打开"数据分析"对话框，在"分析工具"列表框中选择"方差分析：单因素方差分析"选项，单击"确定"按钮，如下图所示。

选择分析工具

Step 02 打开"方差分析:单因素方差分析"对话框,单击"输入区域"右侧的折叠按钮,在工作表中选择C1:D33单元格区域❶,勾选"标志位于第一行"复选框❷,在"输出选项"选项区域中选中"输出区域"单选按钮❸,单击右侧折叠按钮,选择输出的单元格❹,单击"确定"按钮❺,如下图所示。

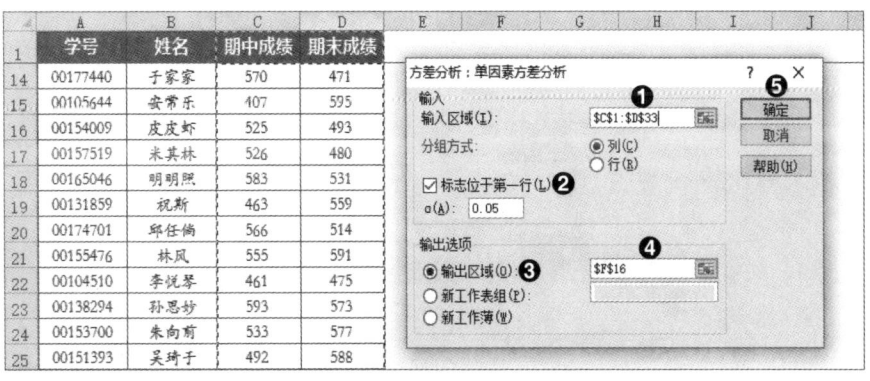

选择分析工具

Step 03 操作完成后即可对数据进行分析,结果显示指定的F16单元格处,如下图所示。

选择分析工具

实训 03 使用直方图分析数据

【实训目的】
- 了解直方图的概念。
- 掌握直方图的使用方法。

【知识准备与操作要求】

直方图(Histogram),又称质量分布图,是一种统计报告图,由一系列高度不等的纵向条纹或线段表示数据分布的情况。一般用横轴表示数据类型,纵轴表示分布情况。在制作直方图时,会涉及统计学的概念,首先要对资料进行分组,因此如何合理分组是其中的关键问题。按组距相等的原则进行的两个关键数位是分组数和组距。直方图是一种几何形图表,它是根据从生产过程中收集来的质量数据分布情况,画成以组距为底边、以频数为高度的一系列连接起来的直方型矩形图。

【实训内容与操作步骤】

● 创建直方图

Step 01 张老师在统计所有学生考试总成绩时，需要按等级进行人数统计并使用图表展示出来。打开"学生期末考试成绩表"工作表，在N1:N5单元格区域中设置等级条件❶，然后单击"分析"选项组中"数据分析"按钮❷，如下图所示。

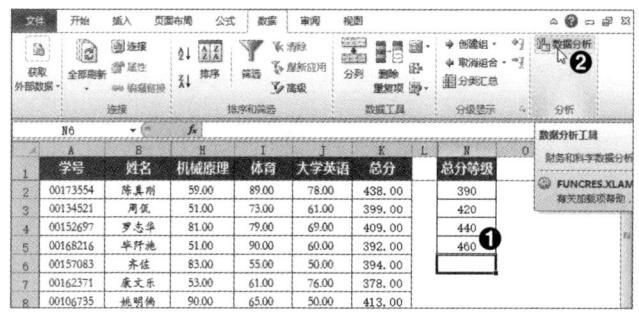

设置分级条件

Step 02 打开"数据分析"对话框，在"分析工具"列表框中选择"直方图"选项❶，单击"确定"按钮❷，如下左图所示。

Step 03 打开"直方图"对话框，单击"输入区域"折叠按钮❶，在工作表中选择K2:K33单元格区域❷，设置接收区域为N2:N5单元格区域❸，选择"输出区域"单选按钮❹，设置输出位置❺，勾选"图表输出"复选框❻，单击"确定"按钮❼，如下右图所示。

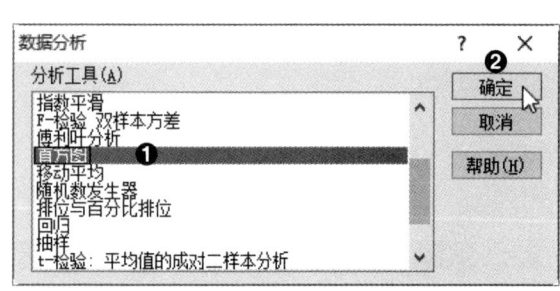

选择"直方图"选项

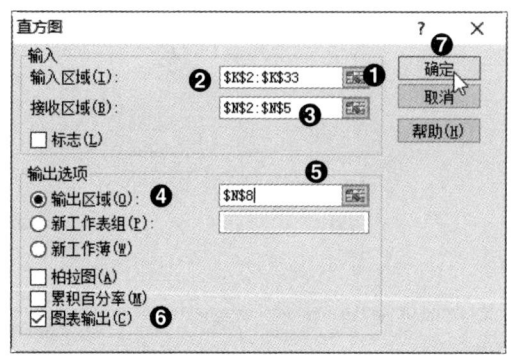

"直方图"对话框

Step 04 返回工作表中，可见在指定位置显示分析的数据，同时创建直方图，如下图所示。从数据和图表中可见不同等级的人数。

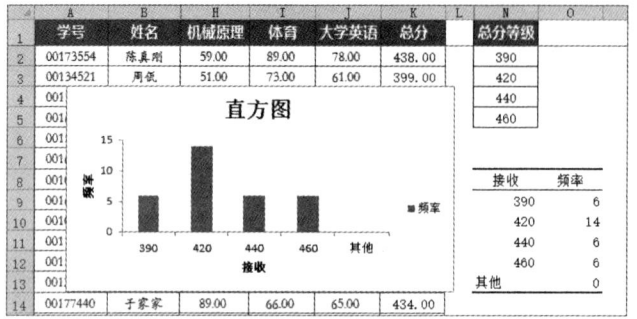

查看直方图

- 添加数据

Step 01 右击直方图,在快捷菜单中选择"选择数据"命令❶,如下左图所示。打开"选择数据源"对话框,单击"图表数据区域"折叠按钮❷,在工作表中选择N9:O12单元格区域❸,返回对话框单击"确定"按钮❹,如下右图所示。

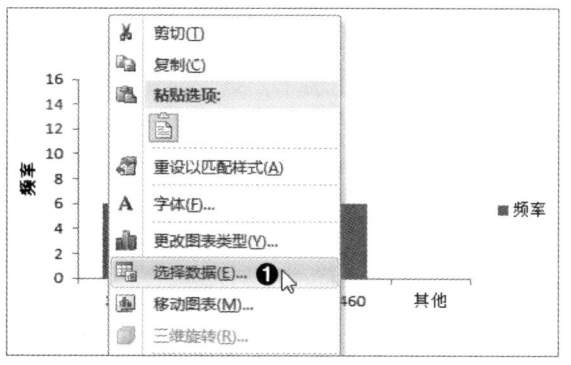

选择"选择数据"命令

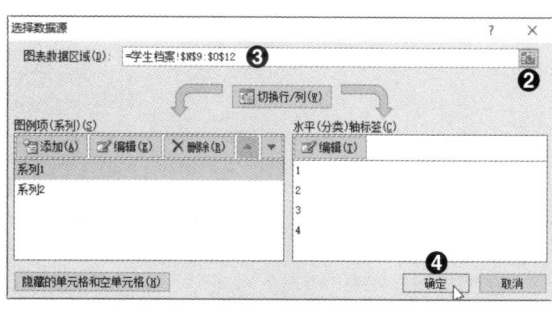

设置图表数据区域

Step 02 可见"其他"数据系列被删除了,图表中"系列2"的矩形很小,下面再对该系列进行设置。右击"系列2"系列,在快捷菜单中选择"设置数据系列格式"命令。打开"设置数据系列格式"对话框,在"系列绘制在"选项区域中选中"次坐标轴"单选按钮,如下左图所示。

Step 03 返回工作表中,可见系列2的矩形变大了,而且在图表的右侧多了一个纵坐标轴,效果如下右图所示。

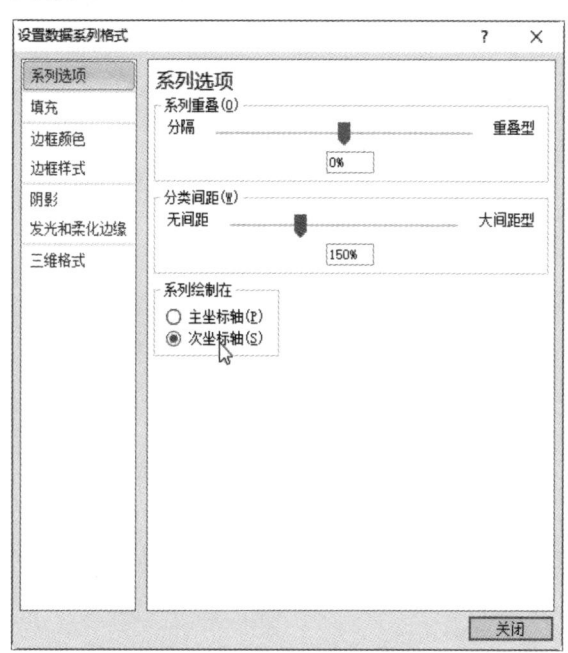

选中"次坐标轴"单选按钮

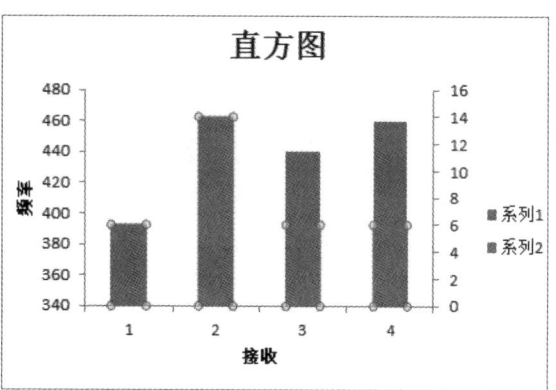

查看系列2的变化

Step 04 选中"系列2"系列并右击,在快捷菜单中选择"更改系列图表类型"命令。打开"更改图表类型"对话框,在左侧列表框中选择"折线图"选项❶,在右侧面板中选择"带数据标记的折线图"图表类型❷,单击"确定"按钮❸,如下图所示。操作完成后即可将系列2的柱形图更改为折线图。

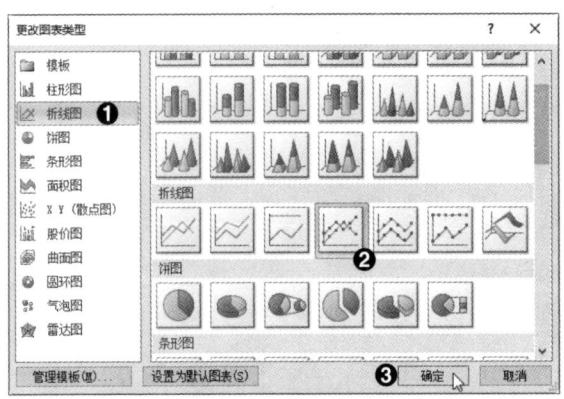

更改图表类型

● 美化直方图

Step 01 切换至"插入"选项卡,单击"插图"选项组中"形状"下三角按钮,在列表中选择椭圆形状选项,如下图所示。

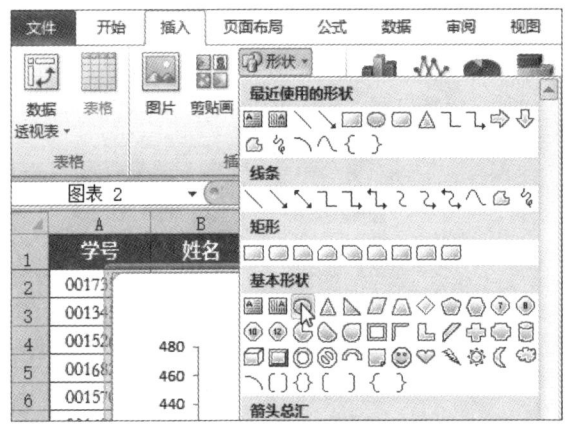

选择椭圆形状

Step 02 然后在工作表中绘制椭圆形,在"绘图工具-格式"选项卡的"形状样式"选项组中设置形状填充、形状轮廓和形状的效果,如下图所示。

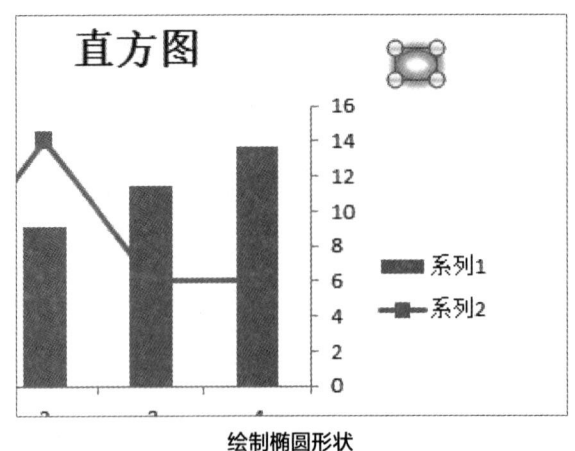

绘制椭圆形状

Step 03 选中绘制的椭圆形状,按Ctrl+C组合键,然后再选中折线图上的数据点并按Ctrl+V组合键,即可用椭圆代替数据点，如下左图所示。根据相同的方法设置其他数据点。选择折线图，切换至"图表工具-布局"选项卡，单击"标签"选项组中"数据标签"下三角按钮，在列表中选择"居中"选项，效果如下右图所示。

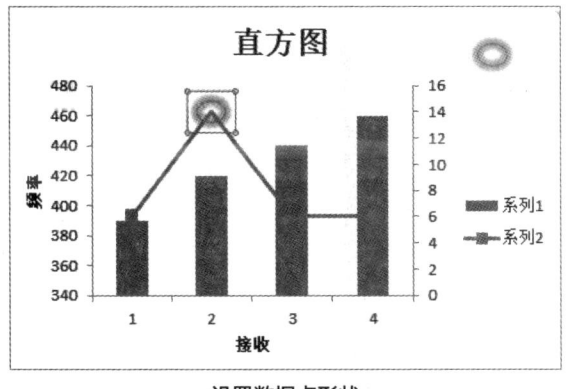

设置数据点形状　　　　　　　　　　添加数据标签

Step 04 返回工作表中，对图表的字体格式进行设置，应用形状样式并设置图表标题样式，完成对图表的美化操作后查看效果，如下图所示。

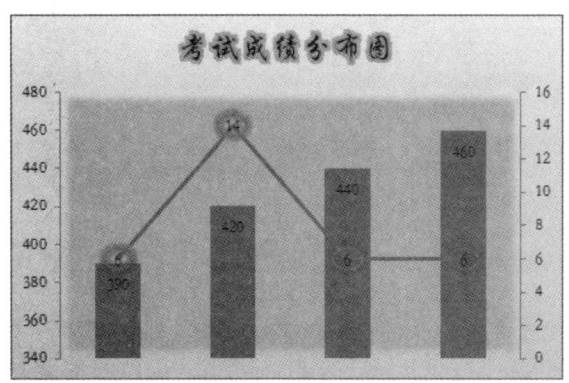

查看直方图效果

实训 04　在Excel中进行数据计算

【实训目的】
- 掌握Excel函数的应用。
- 掌握单元格的引用操作。
- 掌握名称的应用。
- 掌握公式的填充方法。

【知识准备与操作要求】
- 熟悉Excel公式的输入方法。
- 掌握常用函数的使用。

【实训内容与操作步骤】

● 根据学生总分进行等级划分

Step 01 打开"学生期末考试成绩表"工作表，对表格进行完善。选择K2单元格，然后输入"=SUM(E2:J2)"公式，该公式计算出"陈真刚"学生的考试总分，如下图所示。按Enter键即可计算出该学生的总分，然后将公式向下填充，计算出所有学生的总分。

输入公式计算总分

Step 02 选择L2单元格❶，切换至"公式"选项卡❷，单击"函数库"选项组中"逻辑"下三角按钮❸，在列表中选择IF函数❹，如下图所示。

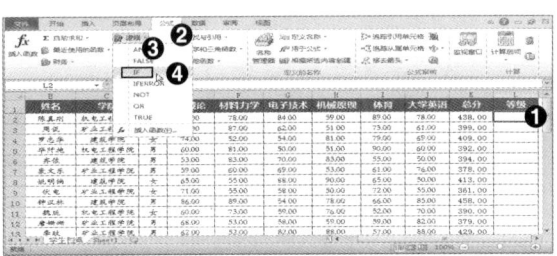

选择IF函数

Step 03 打开"函数参数"对话框，在Logical_test文本框中输入"K2>450"❶；在Value_if_rtue文本框中输入"优"❷；在Value_if_false文本框中输入"IF（K2>400,"良",IF（K2>370,"合格","不合格"))"❸，单击"确定"按钮❹，如下左图所示。

Step 04 即可在L2单元格中显示该学生的等级为"良"，将该公式向下填充至L33单元格，即可完成对所有学生的总分进行等级划分操作，如下右图所示。

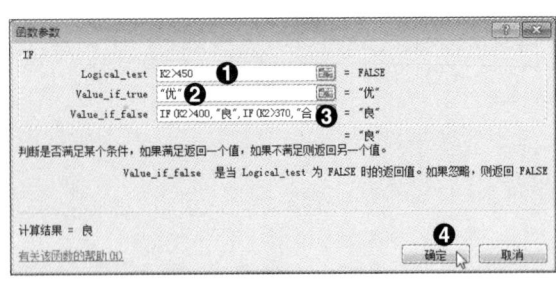

"函数参数"对话框

查看等级划分结果

● 查询学生相关信息

Step 01 在B36:E37单元格区域完善学生成绩查询表。选中B37单元格，切换至"数据"选项卡，单击"数据工具"选项组中"数据有效性"按钮。打开"数据有效性"对话框，在"设置"选项卡中设置

"允许"为"序列"❶，单击"来源"折叠按钮，返回工作表中选择B2：B33单元格区域❷，再次单击折叠按钮，返回"数据有效性"对话框，如下图所示。

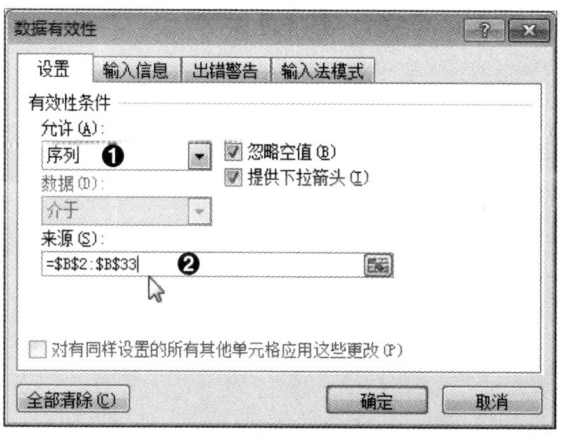

设置有效性的条件

Step 02 切换至"输入信息"选项卡，在"标题"文本框中输入"请正确输入学生姓名！"❶，在"输入信息"文本框中输入"单击右侧下三角按钮，从列表中选择需要查询的学生姓名。"❷，单击"确定"按钮❸，如下图所示。

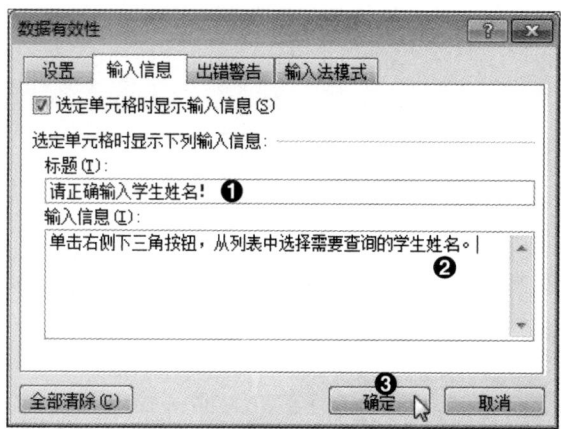

设置输入信息

Step 03 选中C37单元格，然后输入公式"=VLOOKUP（$B$37，$B$2:$L$33，2，FALSE）"，按Enter键执行计算，可见在单元格中显示错误值"#N/A"，因为在公式中需要查找的单元格为空值，如下图所示。

输入VLOOKUP函数公式

提示：VLOOKUP函数解析

VLOOKUP函数用于在单元格区域的首列查找指定的数值，返回该区域相同行中任意指定单元格中的数值。

语法格式：VLOOKUP（lookup_value,table_array,col_index_num,range_lookup）

Lookup_value表示需要在数据表第列中查找的数值，该参数可以是数值、单元格引用或文本字符串；Table_array表示在其中查找数据的数据表，可以为单元格区域或名称；Col_index_num表示在table_array中待返回的匹配列的序号；Range_lookup为逻辑值，表示VLOOKUP函数查找是精确匹配还是近似匹配，逻辑值FALSE表示精确匹配，TRUE表示近似匹配。

Step 04 此时如果选择查询学生的姓名，则在C37单元格中自动显示该学生的所属学院。我们也可以使用IFERROR函数将返回的错误值更改为指定的信息。选择C36单元格，在编辑栏中将公式修改为"=IFERROR（VLOOKUP($B$37，$B$2:$L$33，2，FALSE），"请选择学生姓名"）"，按Enter键执行计算，可见C36单元格中显示了"请选择学生姓名"文本，如下图所示。

修改函数公式

Step 05 将C37单元格中的公式向右填充至E37单元格，选中D37单元格，在编辑栏中将VLOOKUP函数的第3个参数修改为11；将E37单元格中VLOOKUP函数的第3个参数修改为10。修改完成后，单击B37单元格右侧下三角按钮，在列表中选择需要查询的学生姓名，即可自动查找出该学生的学院、等级和总分的信息，如选择"梅长苏"选项，如下图所示。

查询学生的相关信息

提示：IFRROR函数解析

IFRROR函数表示如果表达式错误，则返回指定的值，否则返回表达式计算的结果。

语法格式：IFRROR（value,value_if_error）

Value表示检查是否存在错误的参数；Value_if_error表示当公式计算出错误的结果时所返回的信息，如果公式计算正确，则返回计算的值。

● 制作学生成绩查询

除了以上介绍使用VLOOKUP函数查找指定学生的信息外，还可以使用HLOOKUP函数查找学生某课程的考试成绩，此时需要指定学生的姓名和课程名称，即可自动显示对应的成绩。

Step 01 在G36:I37单元格区域中完善表格，选中G37单元格设置数据的有效性，可以参考"查询学生信息"中的步骤1和步骤2。选中H37单元格，打开"数据有效性"对话框，设置"允许"为"序列"❶，在"来源"文本框中输入"=$E$1:$K$1"❷，单击"确定"按钮，如下图所示。

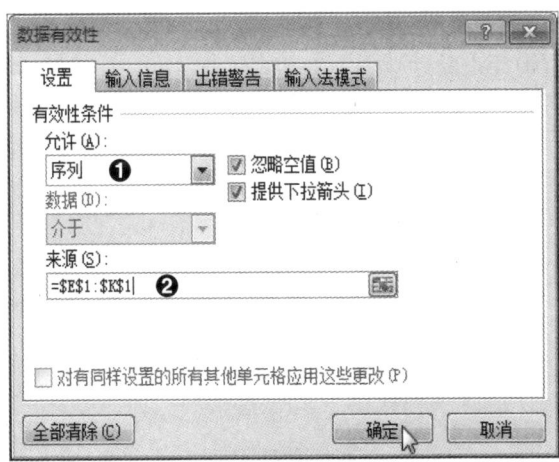

设置数据有效性

Step 02 选择I37单元格，然后输入公式"=IFERROR（HLOOKUP（H37，B1:K33，MATCH（G37，B1:B33，0），FALSE），"请输入查询信息！"）"，按Enter键执行计算，如下图所示。在公式中使用MATCH函数返回学生所在的行数，然后作为HLOOKUP函数的第3个参数值使用。

输入查询公式

提示：HLOOKUP函数和MATCH函数解析

HLOOKUP函数用于在查找范围的首行查找指定的数值，返回区域中指定行所在列单元格的数值。

语法格式：HLOOKUP（lookup_value,table_array,row_index_num,range_lookup）

Lookup_value表示需要在数据表第一行中进行数值查找；Table_array表示需要在其中查找数据的数据表；Row_index_num为table_array中待返回的匹配值的行序号；Range_lookup为逻辑值，指明HLOOKUP函数是精确匹配还是近似匹配。

> MATCH函数用于返回指定数值在指定区域中的位置。
>
> 语法格式：MATCH（lookup_value,lookup-array,match_type）
>
> Lookup_value表示需要查找的值，可以为数值或对数字、文本、逻辑值的单元格引用；Lookup_array表示包含所有要查找数值的连续单元格区域；Match_type表示查询的指定方法，该参数为-1、0或1。

Step 03 分别单击G37和H37单元格右侧下三角按钮，在列表中选择需要查询的学生姓名和课程，在I37单元格中自动显示该学生对应课程的成绩，如查询康文乐的大学英语成绩，如下图所示。

	姓名	学院	性别	机械论	材料力学	电子技术	机械原理	体育	大学英语	总分	等级
21	林凤	矿业工程学院	女	54.00	76.00	71.00	79.00	84.00	78.00	442.00	良
22	李悦琴	机电工程学院	男	90.00	82.00	87.00	81.00	64.00	55.00	459.00	优
23	孙思妙	建筑学院	男	71.00	50.00	64.00	51.00	81.00	50.00	367.00	不合格
24	朱向莉	机电工程学院	女	68.00	65.00	61.00	69.00	67.00	81.00	411.00	良
25	吴琦子	建筑学院	女	79.00	66.00	85.00	85.00	67.00	54.00	436.00	良
26	郑宠瑶	矿业工程学院	男	87.00	54.00	62.00	60.00	68.00	84.00	415.00	良
27	王畅	机电工程学院	男	67.00	54.00	70.00	72.00	90.00	59.00	412.00	良
28	李钊	机电工程学院	女	79.00	87.00	55.00	88.00	58.00	65.00	432.00	良
29	时不利	机电工程学院	男	69.00	58.00	50.00	60.00	80.00	63.00	380.00	合格
30	傅有财	矿业工程学院	男	89.00	72.00	57.00	72.00	64.00	55.00	409.00	良
31	和珍	建筑学院	男	63.00	64.00	51.00	87.00	53.00	73.00	391.00	合格
32	贵宝	建筑学院	男	72.00	76.00	90.00	53.00	56.00	52.00	399.00	合格
33	梅长苏	矿业工程学院	女	89.00	61.00	87.00	58.00	80.00	79.00	454.00	优

姓名	学院	等级	总分
梅长苏	矿业工程学院	优	454

姓名	课程	成绩
康文乐	大学英语	76

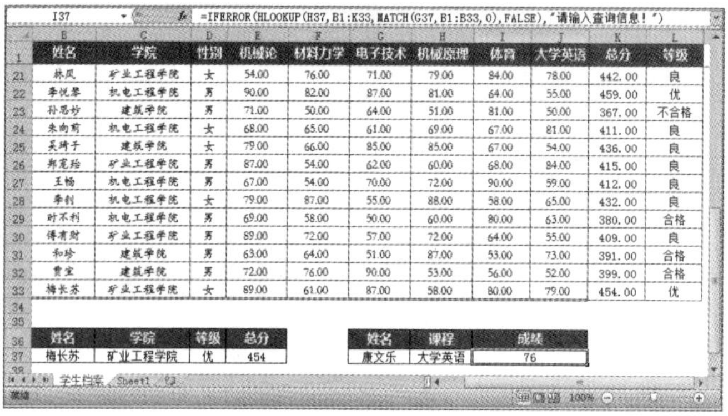

验证查询的效果

- **计算助学贷款明细表**

对于家庭条件不是很富裕的学生，可以向学校申请助学贷款。假设助学贷款的金额一年为10000元，年利率为3.6%，可贷款8个月。为了更全面地让学生了解助学贷款，现需要计算每月应还的金额，并制作成明细表。

Step 01 打开“每月应还金额.xlsx”工作簿，选中E2单元格，然后输入“=PPMT（$B$2/12，D2，$B$3，$B$4）”公式，按Enter键执行计算，即可计算出第一个月应还的本金，如下图所示。

项目	数据	次数	本金	利息	偿还额	剩余贷款
贷款利率	3.60%	1	(¥1,236.93)			
贷款月数	8	2				
贷款总额	¥10,000.00	3				
		4				
		5				
		6				
		7				
		8				

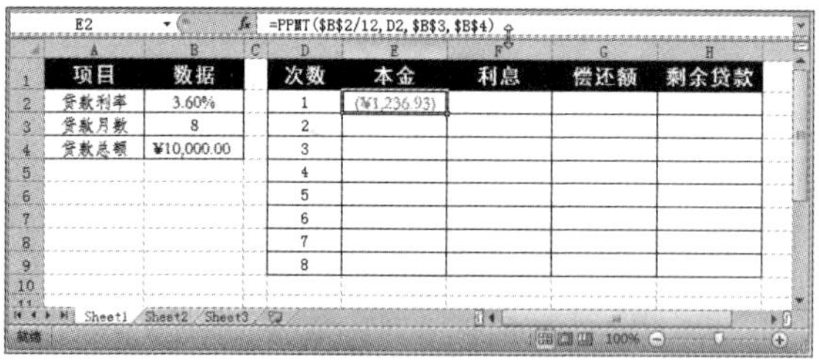

计算第一个月应还的本金

Step 02 选中F2单元格，然后输入“=IPMT（$B$2/12，D2，$B$3，$B$4）”公式，按Enter键计算出第一个月应还的利息，如下图所示。

项目	数据	次数	本金	利息	偿还额	剩余贷款
贷款利率	3.60%	1	(¥1,236.93)	(¥30.00)		
贷款月数	8	2				
贷款总额	¥10,000.00	3				
		4				
		5				
		6				
		7				
		8				

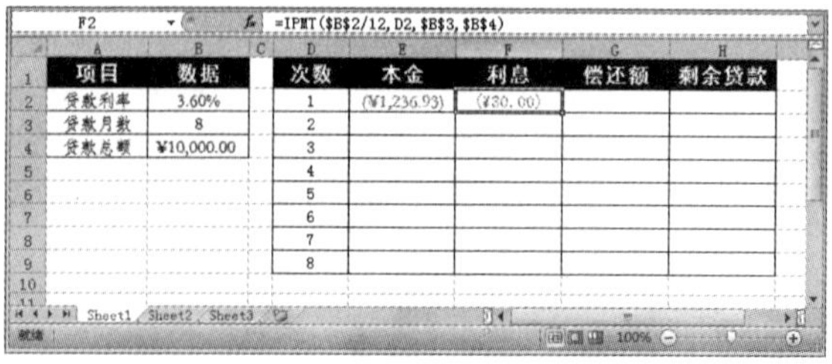

计算第一个月应还的利息

Step 03 在G2单元格中输入"=E2+F2"公式,按Enter键计算出第一个月应还的总金额。在H2单元格中输入"=$B$4+SUM($E$2:E2)"公式,按Enter键计算出第一个月还款后还剩余的贷款金额,如下图所示。应还的本金、利息和偿还额均为负数,剩余贷款为正数。

计算偿还额和剩余贷款

Step 04 然后将E2:H2单元格区域中的公式向下填充到第9行,即可计算出助学贷款每个月的明细信息,如下图所示。

查看计算结果

提示:IPMT函数与PPMT函数

IPMT函数表示基于固定各期利率及等额分期付款方式,返回给定期数内对投资的利息偿还额。
PPMT函数表示基于固定各期利率及等额分期付款方式,返回投资在给定期间的本金偿还额。

语法格式:IPMT/PPMT(rate,per,nper,pv,fv,type)

Rate表示各期利率;Per表示用于计算其利息数额的期数,在1至nper之间;Nper表示年金付款总数;Pv表示现值或本金;Fv表示未来值结束时的余额;Type表示各期的付款时间是期初还是期末,用数字0和1表示。

实训 05 数据管理与数据分析

【实训目的】

- 掌握数据的简单排序和自定义排序。
- 掌握数据的筛选和高级筛选。
- 掌握分类汇总的方法。
- 掌握条件格式的设置方法。

【知识准备与操作要求】

- 熟悉Excel 2010功能区。
- 掌握数据管理和分析的方法。

【实训内容与操作步骤】

● 对数据进行排序和筛选

Step 01 打开"学生期末考试成绩表.xlxs"工作簿,选择表格内任意单元格❶,切换至"数据"选项卡,单击"排序和筛选"选项组中"排序"按钮❷,如下图所示。

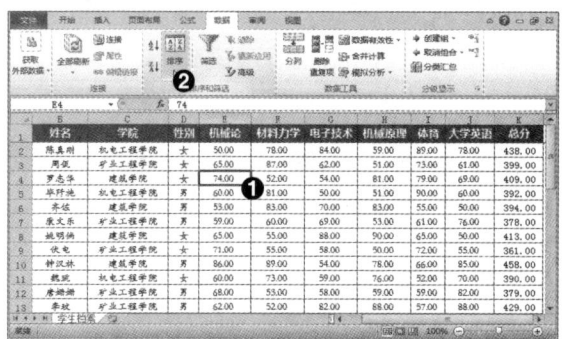

单击"排序"按钮

Step 02 打开"排序"对话框,设置主要关键字为"学院"❶、次序为"升序"❷。单击"添加条件"按钮❸,设置次要关键字为"电子技术"❹、次序为"降序"❺,最后单击"确定"按钮,如下图所示。

"排序"对话框

Step 03 可见工作表中的数据先按学院进行升序排序,相同学院的按电子技术的成绩的降序排列,如下图所示。

查看排序结果

Step 04 切换至"数据"选项卡,单击"排序和筛选"选项组中"筛选"按钮。在标题的右侧显示筛选按钮,单击"总分"右侧筛选按钮,在列表中选择"数据筛选>大于或等于"选项。打开"自定义自动筛选方式"对话框,在"大于或等于"右侧数值框中输入430,最后单击"确定"按钮,如下左图所示。

Step 05 操作完成后,在工作表中只显示总分大于或等于430的学生信息,其他不符合条件的信息被隐藏起来,如下右图所示。

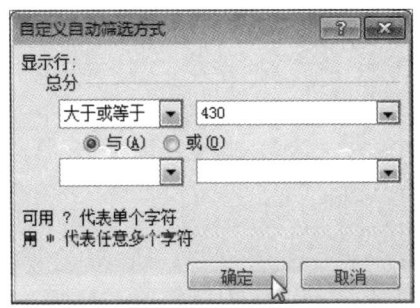

"排序"对话框

查看筛选结果

● 对数据进行分类汇总

Step 01 打开"学生期末考试成绩表.xlsx"工作簿,选择表格内任意单元格,切换至"数据"选项卡,单击"排序和筛选"选项组中"排序"按钮。打开"排序"对话框,设置"主要关键字"为"学院"❶、"次序"为"升序"❷;设置"次要关键字"为"性别"❸、"次序"为"升序"❹,单击"确定"按钮❺,如下图所示。

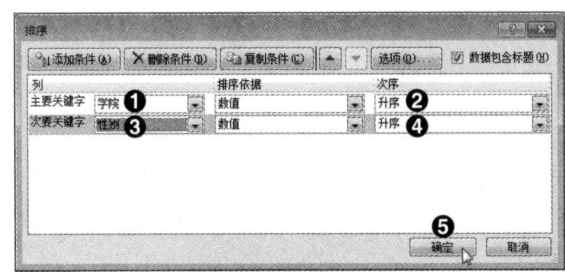

对数据进行排序

Step 02 可见工作表按设置的排序条件进行排列,切换至"数据"选项卡,单击"分组显示"选项组中"分类汇总"按钮。打开"分类汇总"对话框,单击"分类字段"右侧下三角按钮,在列表中选择"学院"选项❶,设置汇总方式为"求和"❷,在"选定汇总项"列表框中勾选"总分"复选框❸,最后单击"确定"按钮❹,如下左图所示。

Step 03 可见工作表中的数据按照学院进行分类并对总分进行汇总,汇总的数据显示学院的下方。选中汇总数据所在的单元格,在编辑栏中显示计算公式,如下右图所示。

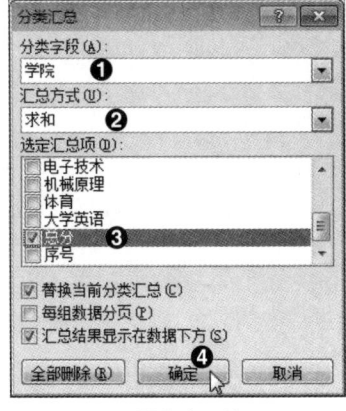

设置分类汇总

查看分类汇总的结果

Step 04 再次打开"分类汇总"对话框，设置分类字段为"性别"❶，单击"汇总方式"下三角按钮，在列表中选择"平均值"选项❷，在"选定汇总项"列表中勾选"总分"复选框❸，然后再取消勾选"替换当前分类汇总"复选框❹，最后单击"确定"按钮❺，如下左图所示。

Step 05 返回工作表中可见Excel对学院进行分类汇总后，再根据性别对总分进行平均值汇总。用户可以单击工作表左侧数字按钮显示不同级别的数据，如下右图所示。

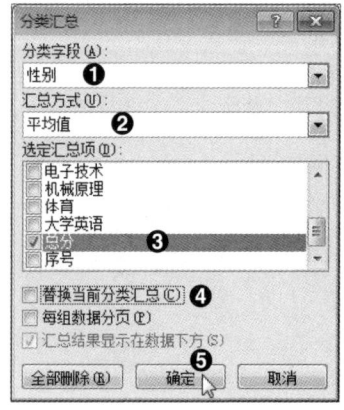

设置分类汇总　　　　　　　　　　　　查看分类汇总的结果

● **条件格式的应用**

使用条件格式功能可以突出显示工作表中满足条件的数据，首先选中K2:K33单元格区域❶，切换至"开始"选项卡，单击"样式"选项组中"条件格式"下三角按钮❷，在列表中选择"项目选取规则>值最大的10项"选项❸，如下图所示。

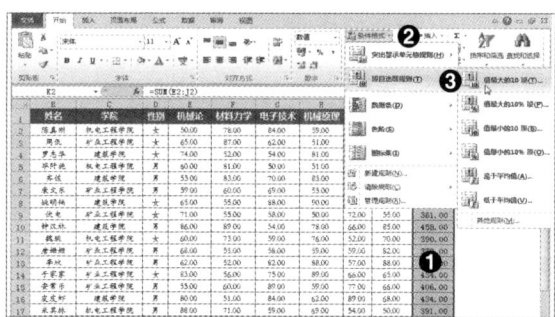

选择合适的条件格式

打开"10个最大的项"对话框，在"为值最大的那些单元格设置格式"选项区域的数值框中输入5，单击"确定"按钮，如下左图所示。可见工作表中总分最高的5个单元格突出显示，单元格的填充为浅红色，数字的颜色为深红色显示，为了突出结果将隐藏部分信息，效果如下右图所示。

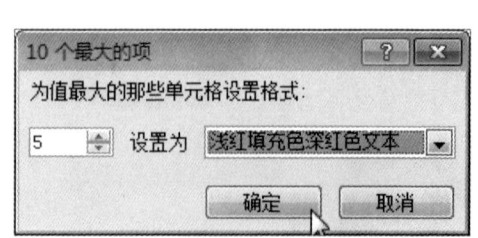

"10个最大的项"对话框　　　　　　　　　查看应用条件格式的效果

■ 提示：自定义条件格式

用户可以通过"新建格式规则"对话框自定义条件格式。首先在"条件格式"列表中选择"新建规则"选项，打开"新建格式规则"对话框，在"选择规则类型"列表框中选择合适的选项，在"编辑规则说明"选项区域显示编辑的内容，如选择"使用公式确定要设置格式的单元格"选项，在"为符合此公式的值设置格式"文本框中输入函数公式，然后单击"格式"按钮，如下图所示。在打开的"设置单元格格式"对话框中进行格式设置。

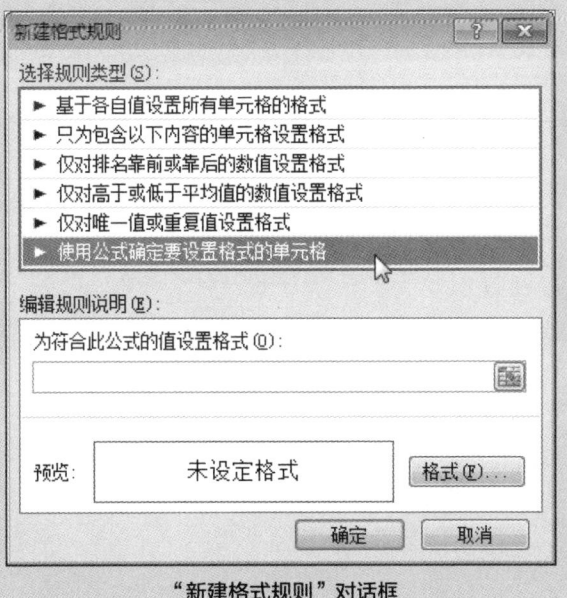

"新建格式规则"对话框

实训 06 图表的应用

【实训目的】

- 掌握创建图表的方法。
- 掌握组合框控件的使用。
- 掌握函数的应用。
- 掌握组合框控制图表的方法。

【知识准备与操作要求】

- 掌握公式输入的操作方法。
- 学会添加控件的方法。

【实训内容与操作步骤】

当需要在不同的数据类别图表中展示数据时，可以通过添加组合框控件来控制图表的数据展示。本实训操作比较复杂，涉及到函数、图表、控件等相关知识。

● 创建图表

Step 01 打开"2020年元旦晚会节目统计表.xlxs"工作簿,在A12单元格中输入1,然后在B12单元格中输入"=INDEX(B3:B10,$A$12)"公式,按Enter键即可引用B3:B10单元格区域中A12单元格中数字对应行的数值,并显示B3单元格中的数字8。然后将该公式向右填充至F12单元格,如下图所示。

创建辅助数据

> **提示:函数解析**
> INDEX函数包含两种形式,分别为引用形式和数组形式。
>
> (1)引用形式
> INDEX函数的引用形式可以返回指定行与列交叉处的单元格引用。
>
> **语法格式:** INDEX(reference,row_num,column_num,area_num)
>
> Reference表示对一个或多个单元格区域的引用;Row_num表示要从中返回引用的引用中的行编号,如果Reference只有一行则,可以省略该参数,若该参数超过一行,则返回#REF!错误值;Column_num表示要从中返回引用的引用中的列编号;Area_num用于选择要从中返回Row_num和Column_num交叉点的引用区域。
>
> (2)数组形式
> INDEX函数的数组形式可以返回指定的数值或数值数组。
>
> **语法格式:** INDEX(array,row_num,column_num)
>
> Array表示一个单元格区域或数组常量;Row_num表示选择数组中的行,如果少该参数,则需要使用Column_num参数;Column_num表示选择数组中的列,如果省略该参数则需要使用Row_num参数。

Step 02 选中B12:F12单元格区域,切换至"插入"选项卡,单击"图表"选项组中"饼图"下三角按钮,在列表中选择"三维饼图"选项,即可在当前工作表中插入饼图,如下图所示。

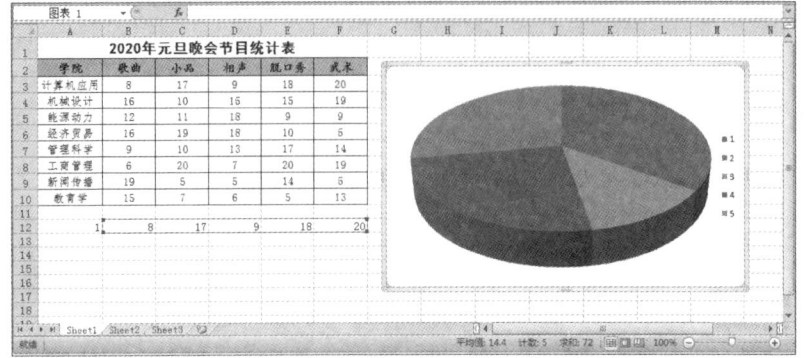

插入饼图

Step 03 选中创建的图表,切换至"图表工具-设计"选项卡,单击"数据"选项组中的"选择数据"按钮。打开"选择数据源"对话框,单击"水平(分类)轴标签"选项区域中的"编辑"按钮,如下图所示。

"选择数据源"对话框

Step 04 打开"轴标签"对话框,单击"轴标签区域"右侧折叠按钮,在工作表中选择B2:F2单元格区域,再次单击"确定"按钮,可见三维饼图的轴标签显示选中单元格区域的内容。

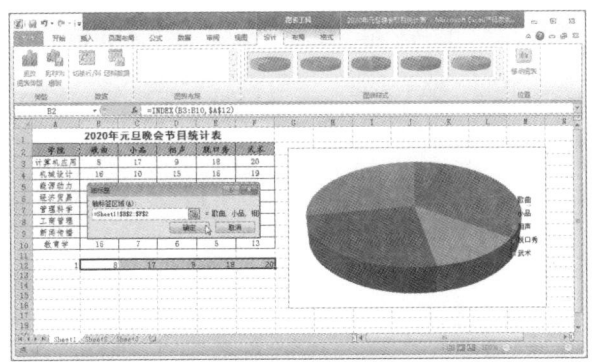

更改图表的轴标签

● **编辑图表**

Step 01 选中三维饼图,切换至"图表工具-布局"选项卡,单击"标签"选项组中"图例"下三角按钮,在列表中选择"在底部显示图例"选项。然后根据相同的方法为图表添加标题,输入标题内容后,根据需要适当调整绘图区域的大小,如下图所示。

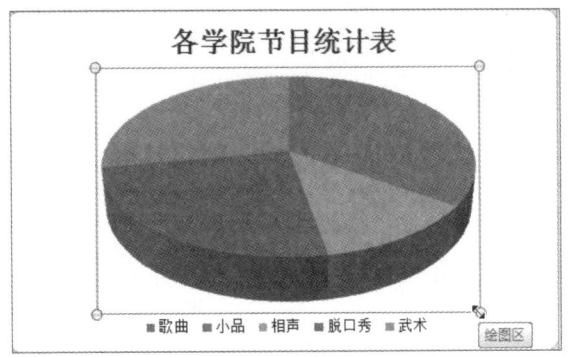

添加图表标题

Step 02 单击"标签"选项组中"数据标签"下三角按钮,在列表中选择"数据标签内"选项,即可为饼图添加数据标签。然后双击添加的数据标签❶,打开"设置数据标签格式"对话框,在"标签选项"选项区域❷的"标签包括"区域中勾选"类别名称"复选框❸,单击"关闭"按钮,如下图所示。

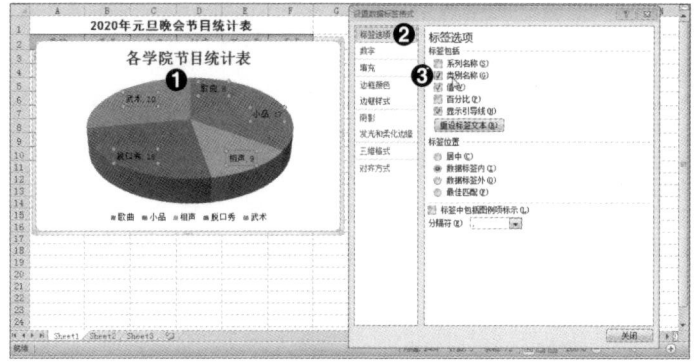

设置数据标签格式

● **添加控件选项卡**

在Excel默认的界面功能区是找不到控件命令按钮的,需要添加"开发工具"选项卡才能插入控件。单击"文件"标签,选择"选项"选项,打开"Excel选项"对话框,在左侧列表中选择"自定义功能区"选项❶,在右侧面板中勾选"开发工具"复选框❷,单击"确定"按钮即可❸,如下图所示。

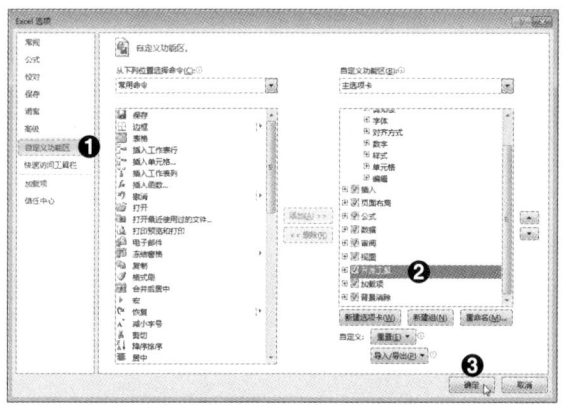

添加"开发工具"选项卡

● **插入并编辑组合框控件**

Step 01 切换至"开发工具"选项卡,单击"控件"选项组中"插入"下三角按钮,在列表中选择"组合框(窗体控件)"选项。此时光标变为黑色十字形状,在图表的右上角绘制组合框,并根据需要适当调整控件的大小,如下图所示。

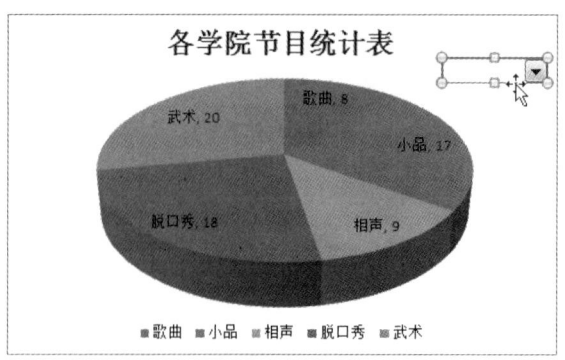

绘制组合框

Step 02 选择绘制的组合框并右击，在快捷菜单中选择"设置控件格式"命令，打开"设置对象格式"对话框，在"控制"选项卡中单击"数据源区域"右侧折叠按钮，在工作表中选择A3:A10单元格区域❶，根据相同的方法设置"单元格链接"为A12单元格❷，勾选"三维阴影"复选框❸，单击"确定"按钮❹，如下图所示。

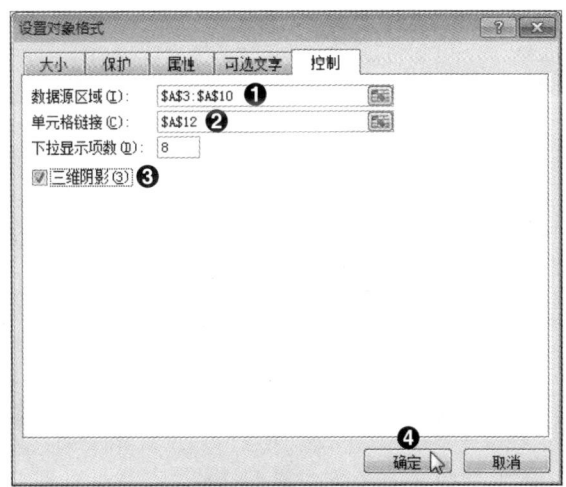

"设置对象格式"对话框

● **查看组合框控件图表的效果**

图表和控件设置完成后，用户可以验证组合框控制图表的效果。单击组合框下三角按钮，在列表中选择需要查看的学院名称，三维饼图即可显示该学院的元旦晚会各节目的分布情况，如选择"工商管理"，效果如下图所示。

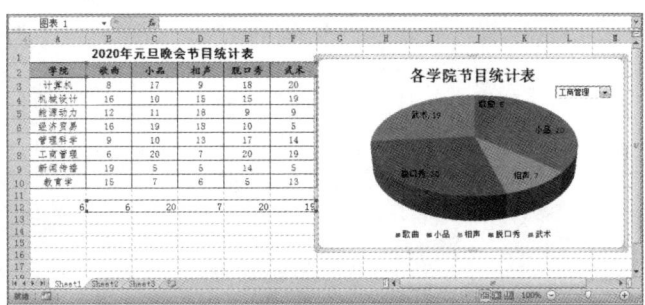

查看效果

Chapter 05

演示文稿软件应用实训

本章概述

使用PowerPoint 2010可以制作出包括文字、图形、图片、音频、视频和动画等多媒体元素于一体的，色彩丰富、生动形象并具有极强表现力的宣传文稿。目前PowerPoint已经广泛应用于各行各业，熟练掌握使用PowerPoint制作电子演示文稿的方法是每个人必备的技能。

实训重点

熟悉PowerPoint 2010工作界面
熟练掌握电子演示文稿的制作方法
熟练掌握文本的输入和文本格式的设置方法
熟练掌握演示文稿版式和母版的设置方法
熟练掌握图片、形状和文本框的应用
熟练掌握超链接的添加方法
熟练掌握演示文稿的设计技巧
掌握演示文稿中动画的设置方法
掌握放映和导出演示文稿的方法

实训 01 设置演示文稿的版式和母版

【实训目的】
- 掌握幻灯片版式的设置方法。
- 掌握幻灯片母版的设置方法。

【知识准备与操作要求】
- 熟悉PowerPoint 2010功能区。
- 了解幻灯片版式的定义。
- 了解PowerPoint 2010自带的11种版式的应用。
- 熟悉幻灯片母版的设置方法。

【实训内容与操作步骤】

- **设置幻灯片母版**

Step 01 打开PowerPoint 2010应用程序，新建4张空白的演示文稿，并将演示文稿命名为"北京大学.pptx"。在制作演示文稿内容之前，需要对母版进行设置。切换至"视图"选项卡，单击"母版视图"选项组中"幻灯片母版"按钮，即可进入母版视图，如下图所示。

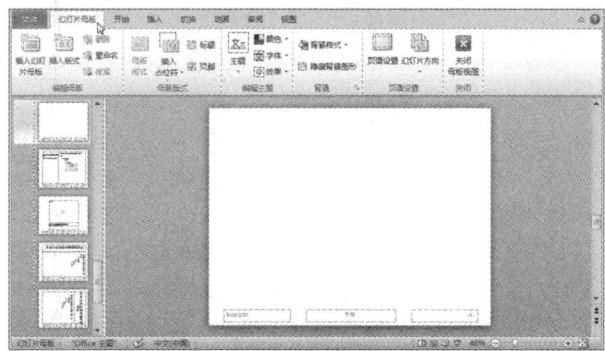

母版视图

Step 02 选择第一张幻灯片，切换至"幻灯片母版"选项卡，单击"编辑主题"选项组中"字体"下三角按钮，在列表中选择"微软雅黑"字体，即可完成幻灯片字体设置。然后选择右侧幻灯片缩略图不同的版式并设置标题和内容的字体大小，如下图所示。

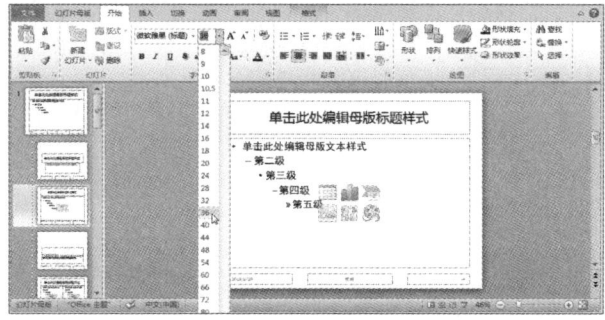

设置各版式的字体字号

Step 03 再次选中第一张幻灯片，切换至"插入"选项卡，单击"图像"选项组中"图片"按钮。打开"插入图片"对话框，选择需要插入的背景图片，单击"打开"按钮，可见在幻灯片中各版式均填充该图片。适当调整图片大小并进行裁剪，使其充满整个页面，如下图所示。

插入图片

Step 04 切换至"插入"选项卡，单击"插图"选项组中"形状"下三角按钮，在列表中选择"矩形"形状，光标变为黑色十字形状，绘制和图片大小一样的矩形。可见矩形覆盖之前插入的图片，右击矩形❶，在快捷菜单中选择"设置形状格式"命令❷，如下图所示。

插入矩形形状

Step 05 打开"设置形状格式"对话框，在左侧列表中选择"线条颜色"选项，在右侧面板中选中"无线条"单选按钮，即可设置矩形无边框。选择"填充"选项，在右侧面板中选择"纯色填充"单选按钮❶，设置填充颜色为白色❷，透明度为50%❸，单击"关闭"按钮❹，效果如下图所示。

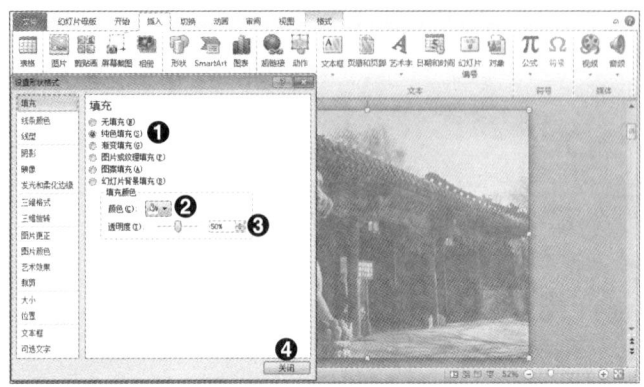

设置填充颜色和透明度

Step 06 在"插入"选项卡中单击"文本"选项组的"页眉和页脚"按钮,打开"页眉和页脚"对话框,在"幻灯片"选项卡中勾选"日期和时间"、"幻灯片编号"、"页脚"和"标题幻灯片中不显示"复选框,并在"页脚"文本框中输入"北京大学"文本,单击"全部应用"按钮,如下图所示。设置完成后切换至"幻灯片母版"选项卡,单击"关闭"选项组中"关闭母版视图"按钮即可。

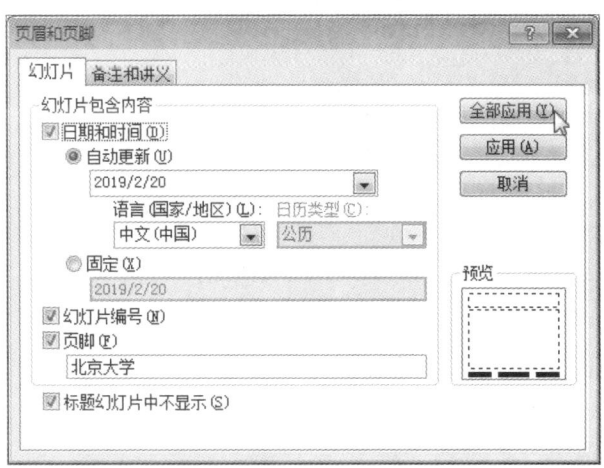

设置页眉和页脚

● 设置幻灯片的版式

Step 01 选择第一张幻灯片,切换至"开始"选项卡,单击"幻灯片"选项组中"版式"下三角按钮,在列表中选择"标题幻灯片"选项,即可完成第一张幻灯版式的设置,然后在对应的文本框中输入文本,如下左图所示。

Step 02 选择第二张幻灯片并右击,在快捷菜单中选择"版式>标题和内容"命令,即可设置该幻灯片版式为标题和内容,在上方的标题框中输入"北京大学简介"文本,在内容框中输入相关内容。可见标题和内容分别应用了在母版中设置的字体和字号,如下右图所示。

标题幻灯片

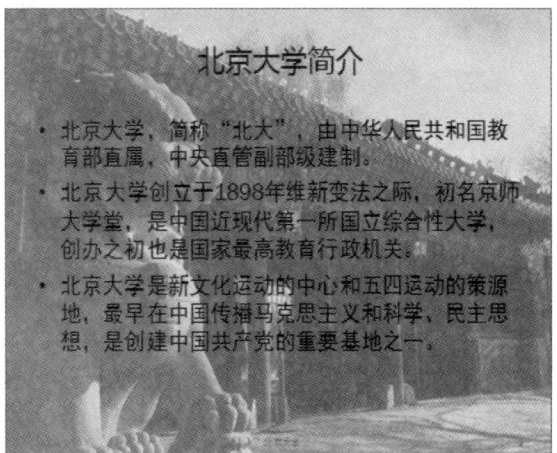

标题和内容幻灯片

Step 03 根据相同的方法设置第3、4张幻灯片的版式为"标题和内容"。在第3张幻灯片的标题框中输入"学科体系"文本,然后适当调整内容文本框的大小,使其和标题文本框之间产生间隙。然后切换至"插入"选项卡,单击"文本"选项组中"文本框"下三角按钮❶,在列表中选择"横排文本框"选项❷,如下图所示。

Step 04 在标题框和内容框之间绘制文本框,并输入学科体系的相关内容。然后设置文字和字号,如下左图所示。

选择"横排文本框"选项

Step 05 在第4张幻灯片中输入合作交流的相关内容。在内容框中根据需要添加项目符号,如下右图所示。

绘制文本框

第4张幻灯片内容

Step 06 默认的项目符号是黑色的圆点,用户可以设置其他图片或自定的形状作为项目符号使用。在"开始"选项卡的"段落"选项组中单击"项目符号"下三角按钮,在列表中选择"项目符号和编号"选项,在打开的对话框中设置即可,如下图所示。

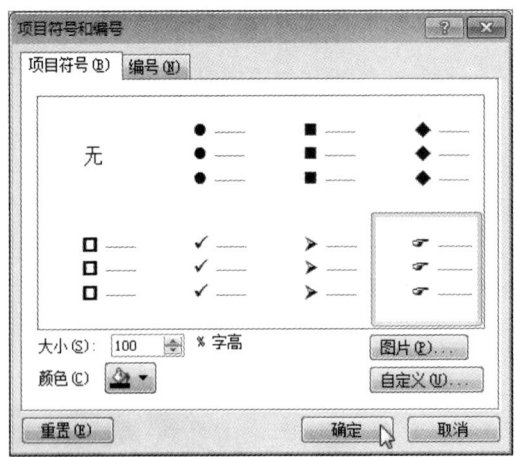

"项目符号和编号"对话框

实训 02　段落设置与图表、超链接的插入

【实训目的】
- 掌握字符和段落的设置方法。
- 掌握在演示文稿中插入图表的方法。
- 掌握插入超链接的方法。

【知识准备与操作要求】

在幻灯片中输入文本后，字符之间的间距以及段落之间的间距都是默认的，为将幻灯片更好地放映出来，还需要设置段落和字符之间的距离。

在幻灯片中展示数据之间的关系时，使用图表可以更直观地表现出来。

超链接是一种非线性组织信息的方式，利用超链接可以从一张幻灯处跳转到另一张幻灯片、链接的网页、链接的文件或电子邮件。

【实训内容与操作步骤】

● **设置字符和段落间距**

Step 01 打开制作好"北京大学.pptx"演示文稿，选择第一张幻灯片，可见标题的文字之间太紧密。选择标题框，切换至"开始"选项卡，单击"字体"选项组中"字符间距"下三角按钮，在列表中选择"其他间距"选项。打开"字体"对话框，在"字符间距"选项卡中设置间距的度量值为12磅，单击"确定"按钮，可见标题字符之间间距增大了，如下图所示。

 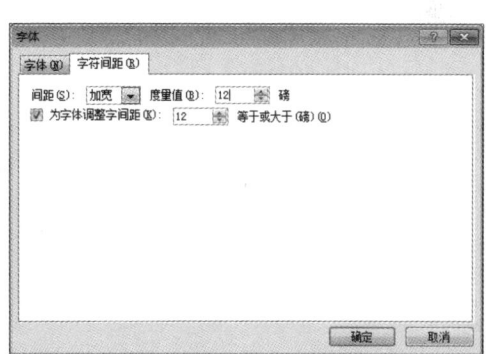

设置标题字符间距

Step 02 如果需要设置段落的行距和段前段后的距离，则选择段落文字，在"开始"选项卡的"段落"选项组中单击"行距"下三角按钮，在列表中选择"行距选项"选项。打开"段落"对话框，在"缩进和间距"选项卡的"间距"选项区域中设置段前和段后均为6磅❶，设置行距为"多倍行距"❷、值为1.3❸，单击"确定"按钮，如右图所示。

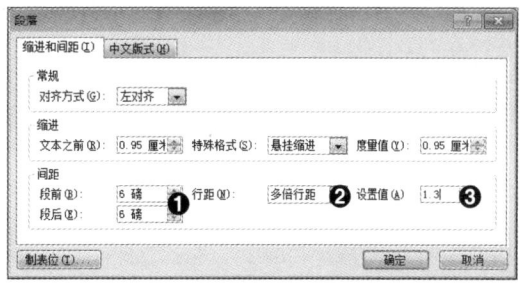

设置标题字符间距

● 插入图表

Step 01 选择第3张幻灯片,单击内容框中"插入图表"按钮,打开"插入图表"对话框,选择三维饼图并单击"确定"按钮,如下左图所示。

Step 02 打开Excel工作表,在表格中输入所需的数据,幻灯片中的图表也同时发生了相应的变化,如下右图所示。

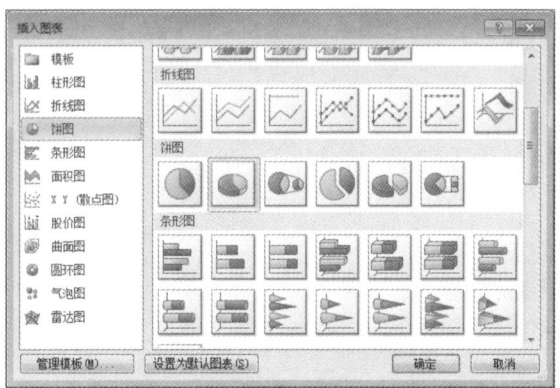
插入三维饼图

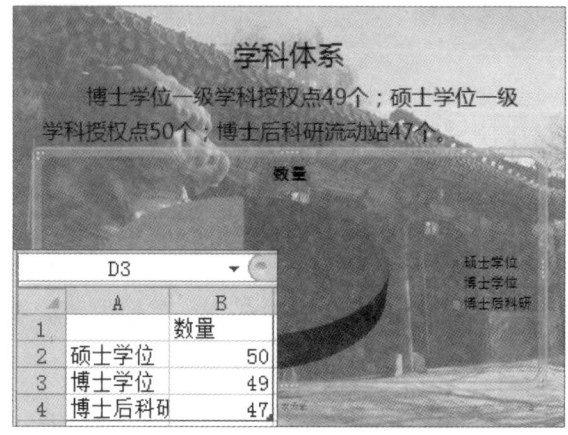
输入数据

Step 03 在图表的标题框中输入"学科体系分布图"文本,并设置标题的格式。选中图表,切换至"图表工具-布局"选项卡,单击"标签"选项组中"数据标签"下三角按钮,在列表中选择"其他数据标签选项"选项。打开"设置数据标签格式"对话框,在"标签选项"选项区域中勾选"类别名称"和"值"复选框❶,在"标签位置"选项区域中选中"最佳匹配"单选按钮❷,如右图所示。

插入图表

Step 04 单击"标签"选项组中"图例"下三角按钮,在列表中选择"无"选项,图表的效果如右图所示。

图表的效果

● 插入超链接

Step 01 切换至第4张幻灯片，选中"国际交流"文本❶，切换至"插入"选项卡❷，单击"链接"选项组中"超链接"按钮❸，如右图所示。

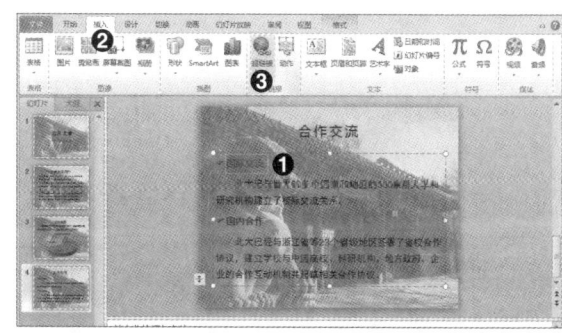

单击"超链接"按钮

Step 02 打开"插入超链接"对话框，在"链接到"列表中选择"现有文件或网页"选项❶，然后将需要链接到的网址输入到"地址"文本框中❷，然后单击"确定"按钮❸，如右图所示。

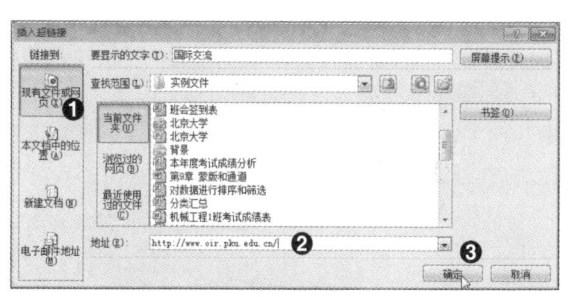

插入超链接

Step 03 根据相同的方法为"国内合作"文本添加网页链接，在幻灯片播放时，只需要单击该文本即可跳转到对应的网页。在演示文稿中添加超链接后，文本变为蓝色并在底部添加一条横线，如右所示。

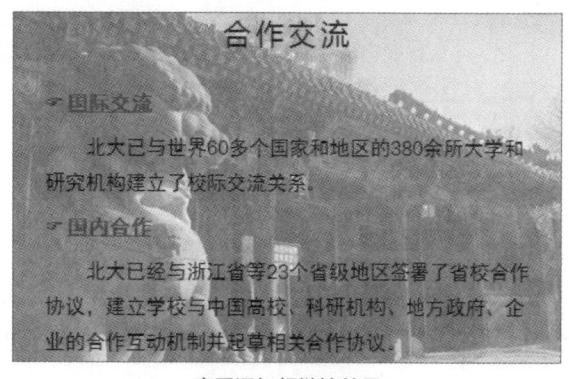

查看添加超链接效果

Step 04 在第4张幻灯片的右下角绘制矩形，右击矩形，在快捷菜单中选择"编辑文字"命令，输入"返回"文本，如右图所示。

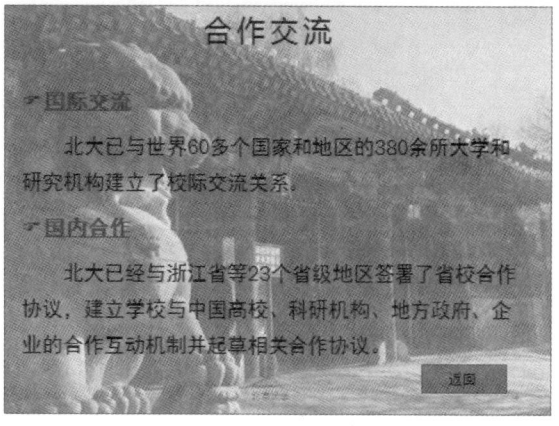

绘制矩形并输入文字

Step 05 选中矩形,切换至"绘图工具-格式"选项卡,在"形状样式"选项组中设置形状轮廓为无轮廓、形状填充为灰色。在"形状效果"列表中设置矩形为艺术装饰棱台效果,如右图所示。

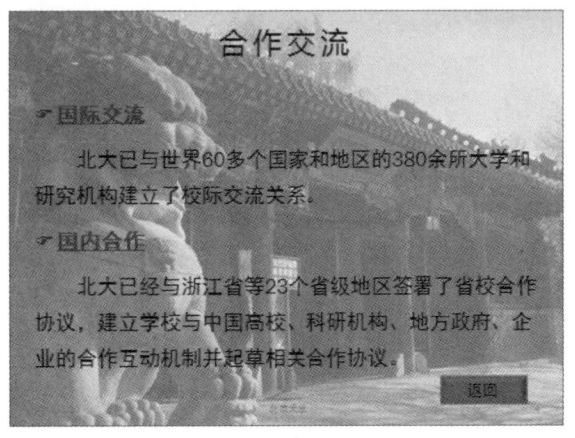

设置矩形样式

Step 06 选择矩形内的文字,打开"插入超链接"对话框,在"链接到"列表中选择"本文档中的位置"选项❶,在"请选择文档中的位置"列表中选择第1张幻灯片❷,然后单击"确定"按钮❸,如下图所示。放映幻灯片时单击"返回"按钮,即可返回第1张幻灯片页面。

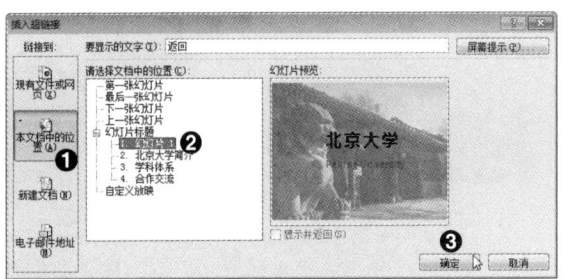

"插入超链接"对话框

实训 03 演示文稿的封面设计

【实训目的】

- 学习在演示文稿中插入形状。
- 掌握各元素的排列对齐方式。

【知识准备与操作要求】

本实训通过添加图片和形状,对幻灯片的封面进行美化和设计。在本实训中主要是将图片、文字进行合理地分布,并添加形状加以修饰。

【实训内容与操作步骤】

- **排列文字**

Step 01 选中第一张幻灯片,可见文字之间的距离太大,好像二者格格不入。首先拖动英文文本框并放在"北京大学"文本框的下方,使二者之间的距离缩小到看起来更像一个整体。然后适当缩小英文的字号为24,并在"段落"选项组中设置英文的对齐方式为分散对齐,如下左图所示。

Step 02 选中两个文本框❶,切换至"绘图工具-格式"选项卡,单击"排列"选项组中"对齐"下三角按钮❷,在列表中选择"左对齐"选项❸,使其更整齐,如下右图所示。

设置英文对齐方式

设置文本左对齐

Step 03 两个文本的颜色很相似,下面对英文字体颜色和文本框的颜色进行设置。选中英文文本框,切换至"绘图工具-格式"选项卡,单击"形状填充"下三角按钮,在列表中选择蓝色。再切换至"开始"选项卡,在"字体"选项组中设置字体颜色为浅灰色,效果如下图所示。

设置英文颜色

● 插入图片

切换至"插入"选项卡,单击"图像"选项组中"图片"按钮,在打开的对话框中选择合适的图片,并单击"打开"按钮。适当调整图片的大小,并放在文本框的左侧。然后将图片与英文进行底端对齐,效果如下图所示。

插入图片

- **插入形状**

Step 01 插入的图片与文本框是两个不同的元素，给人的感觉是虽然挨得很近但还是不能融为一体，此时我们可以通过添加形状的方法进行设计。首先切换到"插入"选项卡，单击"插图"选项组中"形状"下三角按钮，在列表中选择"直线"形状。然后在图片和文本框中间绘制垂直的直线，如下图所示。

绘制直线

Step 02 此时图片、形状和文本框还不像是一个整体，下面再添加矩形形状将其融合。首先在"形状"列表中选择矩形形状，绘制矩形将图片、形状和文本覆盖，如下图所示。

绘制矩形

Step 03 选中矩形，切换至"绘图工具-格式"选项卡，单击"排列"选项组中"下移一层"按钮，直至图片、直线形状和文本框全部显示，如下图所示。

调整矩形形状的层次

Step 04 选择矩形形状,在"形状样式"选项组中设置无形状轮廓、形状填充颜色为红色。可见矩形的颜色太刺眼,还需要设置其不透明度。右击矩形,在快捷菜单中选择"设置形状格式"命令,在打开的对话框中设置填充颜色的透明度为15%,并关闭该对话框,效果如下图所示。

设置矩形形状颜色

Step 05 按住Shift键选择文本框、图片和形状,切换至"绘图工具-格式"选项卡,单击"排列"选项组中"组合"下三角按钮,在列表中选择"组合"选项。然后将组合形状移到页面的偏下方位置,再单击"对齐"下三角按钮,在列表中选择"左右居中"选项。演示文稿的封面制作完成,效果如下图所示。

查看封面的效果

实训 04 应用动画效果

【实训目的】

在PowerPoint 2010中,用户不仅可以为文本、图片、表格等对象设置进入、强调、退出和路径等动画效果,还可以为幻灯片创建交互式效果,从而丰富演示文稿的观赏性。

- 了解动画的种类。
- 掌握动画的应用。

【知识准备与操作要求】

在PowerPoint 2010软件的"动画"选项中,用户可以根据需要设置幻灯片中各元素的动画效果,其中绿色的动画代表进入动画效果;黄色代表强调动画;红色代表退出动画;线条代表路径动画。
- 掌握动画的设置方法。
- 掌握动画时间的设置步骤。

【实训内容与操作步骤】

- 设置场景

Step 01 新建演示文稿并保存为"动画综合练习.pptx",新建空白幻灯片。切换至"设计"选项卡,单击"页面设置"选项组中"页面设置"按钮,打开"页面设置"对话框,单击"幻灯片大小"下三角按钮,在列表中选择"全屏显示(16:9)"选项❶,设置方向为横向❷,最后单击"确定"按钮❸,完成对页面的设置,如下图所示。

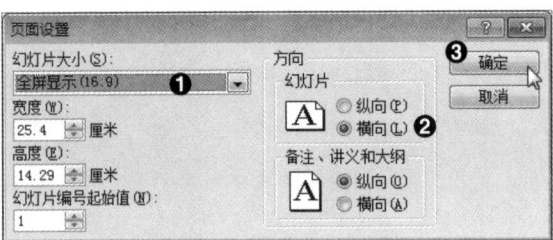

设置页面

Step 02 然后将"背景.jpg"、"远处的山.png"、"船.png"、"两只仙鹤.png"和"古人.png"素材插入幻灯片中,并调整各图片素材的大小和位置,设置其显示的顺序。在调整各素材时,需要将"背景.jpg"素材充满整个幻灯片;将"远处的山.png"素材调整大小,使其覆盖背景上的山峰;将船和古人素材适当缩小,并将古人放在船的下一层,如下图所示。

插入并调整图片

Step 03 调整完成后,选中船和古人素材,切换至"图片工具-格式"选项卡,单击"排列"选项组中"组合"下三角按钮,在列表中选择"组合"选项。再选中两只仙鹤素材,单击"排列"选项组中"旋转"下三角按钮,在列表中选择"水平翻转"选项,对仙鹤飞行的方向进行调整,调整完成后将仙鹤移至左侧页面外,如右图所示。

调整仙鹤的方向

Step 04 然后在页面的左上角绘制正圆形，设置填充颜色为红色、无边框，然后为圆形添加"发光"和"柔化边缘"效果，使其看起来像是太阳。为使船和人素材与背景一致，切换至"图片工具-格式"选项卡，在"调整"选项组中设置颜色，效果如下图所示。

查看画面效果

● 为船和人添加动画

Step 01 选中人和船素材，切换至"动画"选项卡，单击"动画"选项组中"其他"按钮，在列表中选择"自定义路径"选项，然后在画面中由左向右绘制弯曲的水平直线，可见船由远及近运动，在画面中显示运动的轨迹，如下图所示。

绘制动作路径

Step 02 当船由远及近运动时，应当是从小变大的过程，因此还需要添加"缩放"的进入动画。选中船和人素材，单击"高级动画"选项组中"添加动画"下三角按钮，在列表的"进入"选项区域中选择"缩放"选项，单击"动画"选项组中"效果选项"下三角按钮❶，在列表中选择"对象中心"选项❷，如下图所示。

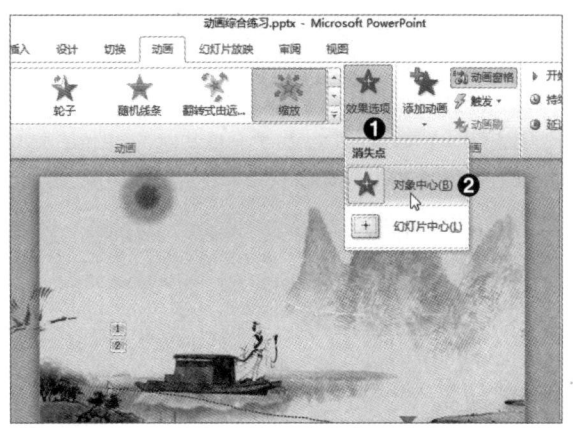

添加缩放效果

Step 03 动画添加完成后，对动画进行预览，可见先运行动作路径动画，完成后再运行缩放动画。下面再对两个动画进行设置，制作出船从远到近的真实运动效果。首先单击"高级动画"选项组中"动画窗格"按钮，打开"动画窗格"导航窗格，分别将"缩放"动画移至最上方，并设置持续时间为7秒，再设置动作路径的持续时间为6秒。单击动作路径右侧下三角按钮❶，在列表中选择"从上一项开始"选项❷，然后在"计时"选项组中设置延迟时间为1秒❸，如下图所示。设置完成后，对动画进行预览，可见船从远到近运动，并且从小到大的变化。

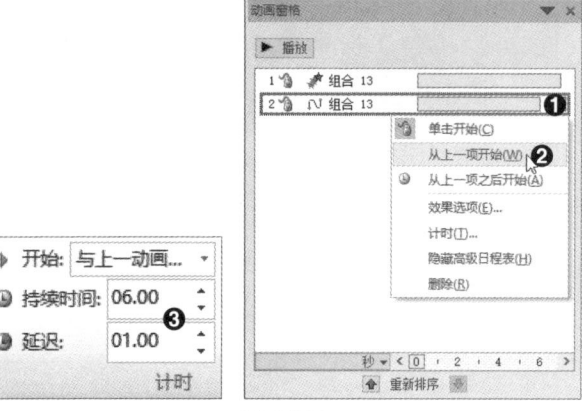

设置动画

● 为仙鹤添加动画

下面介绍将仙鹤设置为从左侧飞进画面逐渐缩小并消失在远山附近的动画。由此整个动画的过程分析，需要添加动作路径，再添加缩小强调动画，最后再添加消失的退出动画。

Step 01 选中仙鹤的素材，添加"弧形"动作路径，单击"动画"选项组中"效果选项"下三角按钮❶，在列表中选择"向上"选项❷，如下图所示。

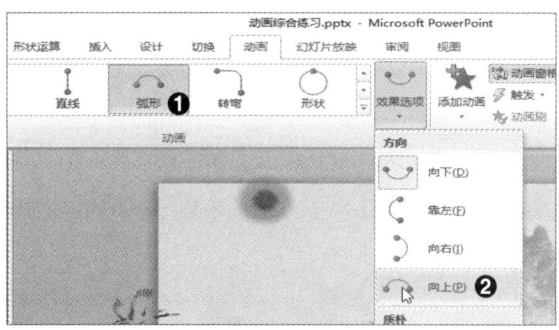

选择"向上"选项

Step 02 将光标移至结束的控制点上，按住鼠标左键向右下方拖曳，如右图所示。再设置顶端绿色的控制点调整动作路径向右上方旋转，然后将整个路径向上移动至合适的位置，从而制作出仙鹤由低到高的飞行路径。

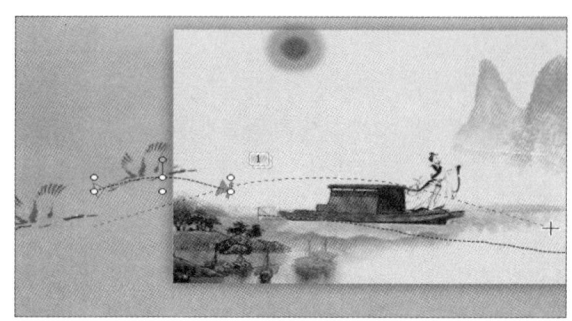

调整动作路径

Step 03 单击"添加动画"下三角按钮,在列表的"强调"选项区域中选中"放大/缩小"动画效果,在"动画窗格式"中右击添加的动画,在快捷菜单中选择"效果选项"命令。打开"放大/缩小"对话框,在"效果"选项卡中设置尺寸为"微小"选项,则在文本框中显示25%,最后单击"确定"按钮,如下图所示。

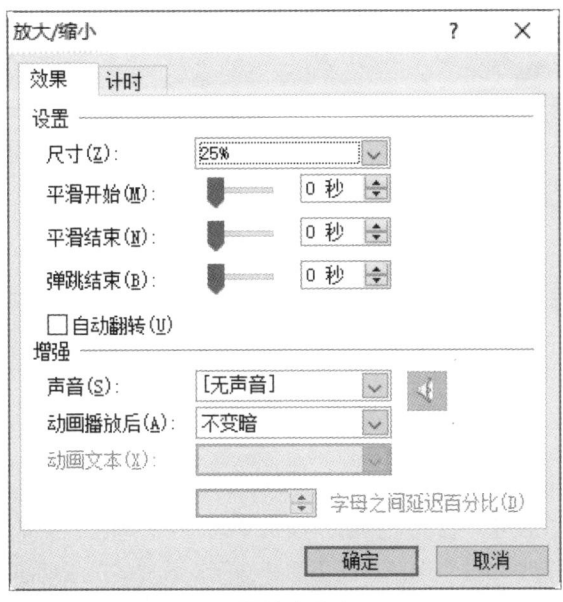

设置缩小尺寸

Step 04 然后再根据相同的方法添加"淡出"退出动画,动画添加完成后再对动画进行设置,首先打开"动画窗格"导航窗格,选择添加的3个动画,单击右侧下三角按钮,在列表中选择"从上一项开始"选项,即可与船素材的动作路径动画同时播放❶。然后分别设置仙鹤的动作路径和缩小/放大动画的持续时间为6秒❷,淡出的持续时为2秒,然后拖动淡出时间栈与上一动画右侧对齐❸,如下图所示。

设置仙鹤动画

● 为太阳添加动画

太阳动画的运动过程是从上方浮入左上角位置,然后逐渐消失在远处山的背面,从运动过程可以发现同样需要添加3个动画效果,第1个是从上而下的浮入效果,第2个是动作路径,第3个是消失的动画。下面介绍动画添加完成后如何设置动画的效果。

根据需要为太阳添加动画,在"动画窗格"导航窗格中选择太阳的浮入动画,设置延迟为1秒❶;设置动作路径动画的持续时间为5秒、延迟为2秒❷;设置淡出动画的持续时间为3秒、延迟为4秒❸,如下图所示。

设置太阳动画

对太阳动画设置后预览动画过程，可见太阳从上慢慢进入画面，然后向右下方慢慢移动，移动2秒后慢慢变淡最终消失在远山处。

至此整个元素的动画制作完成，对动画进行整体的预览，可见仙鹤的运动轨迹最后和太阳很近，所以需要再适当调整动作路径的位置或长短。

- 添加文字并设置动画

最后，再为整个画面添加文字，首先切换至"插入"选项卡，单击"文本"选项组中"文本框"下三角按钮，在列表中选择"垂直文本框"选项。在页面的右侧输入"移舟泊烟渚"文本，并在"字体"选项组中设置文本的格式。然后为文本添加进入和退出的"擦除"动画，并设置进入的"擦除"动画持续时间为3秒、颜色为半秒❶，设置动画选项为"自顶部"；设置退出的"擦除"动画持续时间为3秒、延迟为4秒❷，如下图所示。

设置文本的动画效果

文本的动画过程为放映半秒后文本从上而下逐个显示文字，显示完成后半秒由下而上逐个消失文字，至放映结束文字完全消失。

- 将动画保存为视频

动画制作完成后，用户可以根据个人需要添加背景音乐，从而制作出更精致的动画效果。下面介绍将制作的动画创建成视频并播放的方法。

Step 01 单击"文件"标签❶，选择"保存并发送"选项❷，在中间区域选择"创建视频"选项❸，单击"创建视频"按钮❹，如下图所示。

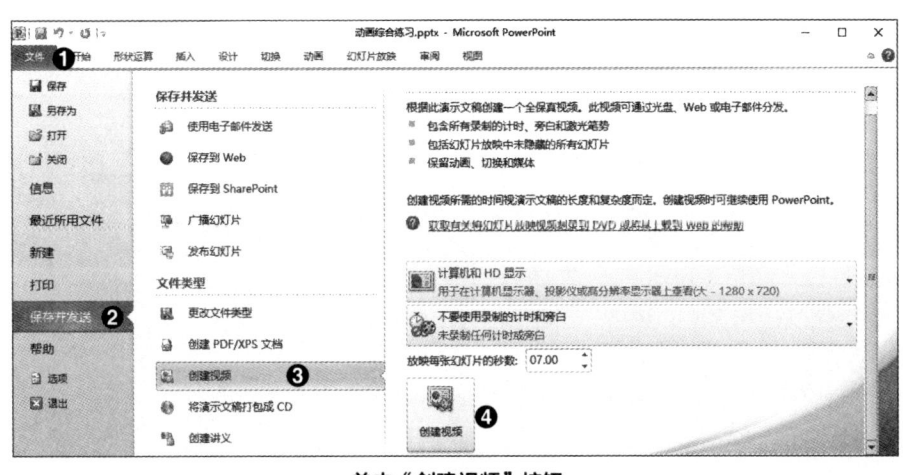

单击"创建视频"按钮

Step 02 打开"另存为"对话框,选择保存的位置,在"文件名"文本框中输入视频文件的名称,PowerPoint生成的视频类型默认为wmv格式,单击"保存"按钮,即可完成将演示文稿创建为视频的操作,如下图所示。

保存视频文件

Chapter 06

多媒体教学软件应用实训

本章概述

随着科技的进步,多媒体教学的应用越来越广泛,很多媒体教学软件也逐渐诞生,常用的有几何画板、Z+Z智能教育平台和思维导图等软件。使用这些多媒体教学软件可以很直观地将课件展示给学生,使学生更容易理解和记忆。

实训重点

熟悉几何画板的工作界面
熟练掌握使用几何画板绘制图形的方法
熟练掌握使用几何画板创建动态图形的方法
熟悉Z+Z超级画板的工作界面
了解Z+Z超级画板的功能
熟练掌握使用Z+Z超级画板绘制图形的方法
熟练掌握使用Z+Z超级画板测量图形的方法
熟练掌握使用Z+Z超级画板制作动画的方法

实训 01 使用几何画板3等分圆

【实训目的】

几何画板是一个通用的数学、物理教学环境,提供丰富而方便的创造功能,使用户可以随心所欲地编写出自己需要的教学课件。

- 了解几何画板的应用。
- 掌握使用几何画板绘制基本图形的方法。

【知识准备与操作要求】

使用几何画板可以绘制很多几何图形,如点、线、圆、圆弧等,它是适用于数学、平面几何、物理的矢量分析、作图,函数作图的动态几何工具。

- 掌握直线的绘制方法。
- 掌握圆的绘制方法。
- 掌握文本工具的应用。

【实训内容与操作步骤】

Step 01 打开几何面板应用程序,选择线段直尺工具,在绘图区绘制直线段,然后使用文本工具标记线段A和B两点。选择绘制的AB线段,执行"构造>中点"命令,并使用文本工具双击中点,在打开的对话框的"标签"文本框中输入O,单击"确定"按钮,即可将中点命名为O,如下左图所示。

Step 02 使用移动箭头工具依次选择O、A点,此处选择的顺序不能出错。再执行"构造>以圆心和圆周上的点绘制圆"命令,即可创建以O点为圆心,以AO线段为半径的圆,如下右图所示。

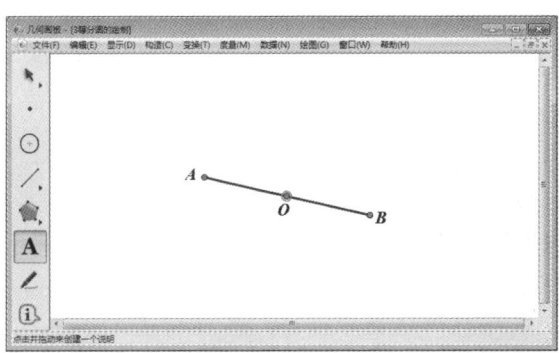
绘制线段并标记中点

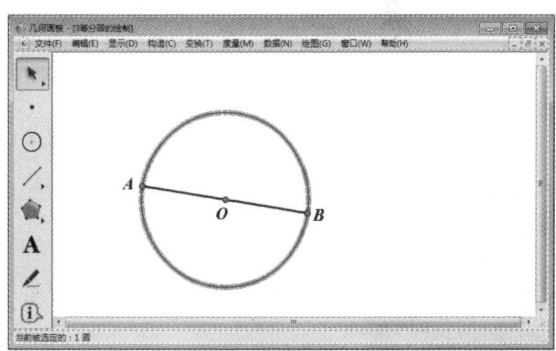
创建圆形

Step 03 执行"数据>新建参数"命令,打开"新建参数"对话框,在"数值"数值框中输入1.5,最后单击"确定"按钮,如右图所示。此处设置的数值很重要,是把整个圆分成3等分,而不是将半圆分成3等分。

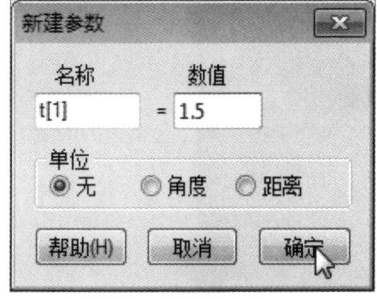
设置参数

Step 04 单击工具箱中"自定义工具"按钮,在列表中选择"角工具>n等分角工具"选项,然后依次单击A、O、B3个点,注意顺序不能变。再单击左上角的参数。操作完成后即可将半圆分成1.5等分,如下图所示。

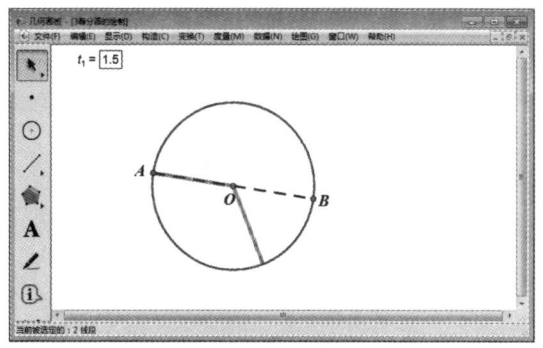

将半圆分为1.5等分

Step 05 选择AB线段并右击,在快捷菜单中选择"隐藏线段"命令,即可将该线段隐藏。再使用点工具标记1.5等分的点,使用文本工具标记为C,如下左图所示。

Step 06 选择C点和O点,执行"构造>射线"命令,即可创建一条射线,使用点工具标记射线和圆的交点,并使用文本工具标记为D。选择射线并右击,在快捷菜单中选择"隐藏射线"命令,效果如下右图所示。

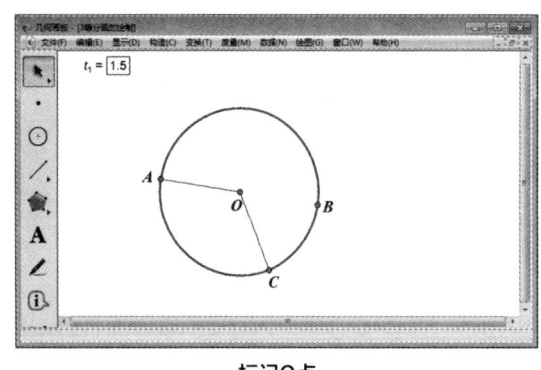

标记C点

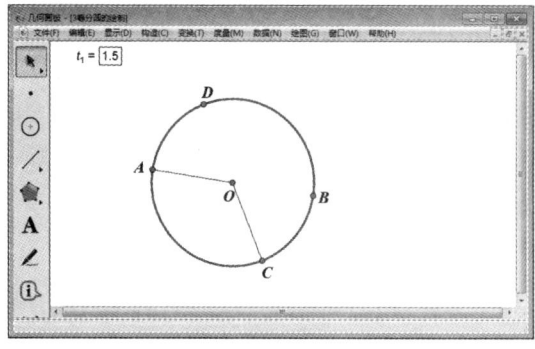

构造射线

Step 07 根据相同的方法创建另一半圆的1.5等分,选择n等分角工具,依次单击C、O、D点,然后单击左上角的参数,即可将圆进行3等分。将多余的辅助点进行隐藏,选中左上角参数并右击,在快捷菜单中选择"隐藏参数"命令,将参数隐藏。圆的3等分效果如下图所示。

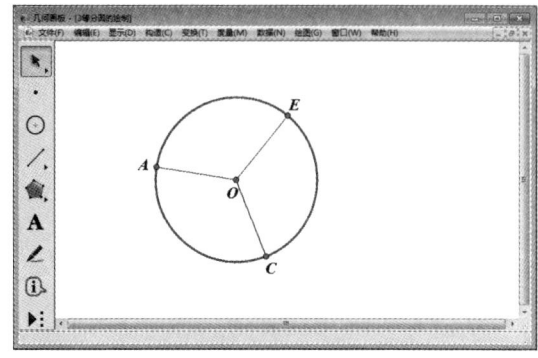

圆的3等分效果

实训 02 验证三角形的内角和

【实训目的】

Z+Z超级画板把数学动态图形工具整合在一起,包括平面几何、解析几何、三角函数,并具有迭代作图功能。

- 掌握利用Z+Z超级面板制作图形的方法。
- 掌握测量角度的方法。

【知识准备与操作要求】

超级画板(全名"z+z智能教育平台-超级画板")是2002年推出的国产软件,是动态几何软件,基本功能是动态几何图形的制作和变换,能够动态地展现数和形的变化,适合在课堂上使用,也适合学生教师课前课后辅助学习探索创作。

【实训内容与操作步骤】

下面介绍如何使用Z+Z超级画板验证三角形的内角和为180度,本实训主要是对三角形3个角的度数相加之和始终为180度。

Step 01 打开Z+Z智能教育平台软件,使用画笔工具在绘图区绘制任意三角形ABC,如下左图所示。

Step 02 按住Shift键不放,使用选择工具依次选中B、A、C点,然后执行"测量>角的值"命令,如下右图所示。即可在左上角测量出角A的值。

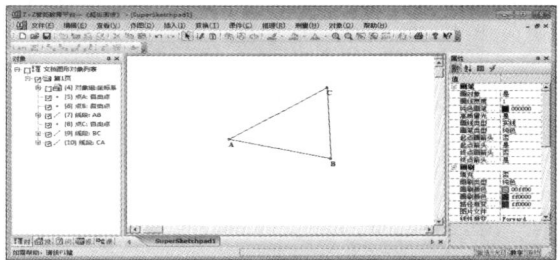
绘制三角形

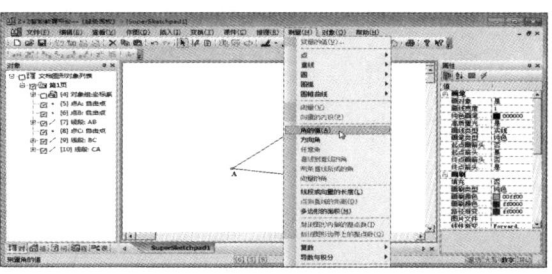
测量角的值

Step 03 然后根据相同的方法测量出其他两个角的值。双击测量的角度,删除多余的字母,然后将%右侧的数字2修改为4,表示角度的小数点保留4位,效果如下图所示。

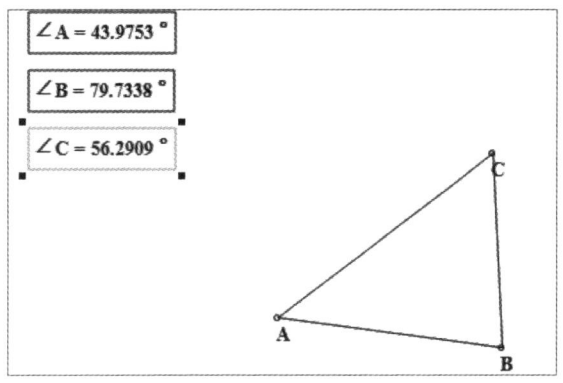
设置测量角度的值

Step 04 执行"测量>测量表达式"命令,打开"测量表达式"对话框,在"表达式"文本框中输入"m000+m001+m002"❶,然后取消勾选"测量结果表示为弧度"复选框❷,单击"确定"按钮❸,如下图所示。在绘图区显示三角形的三个角度数之和的表达式。

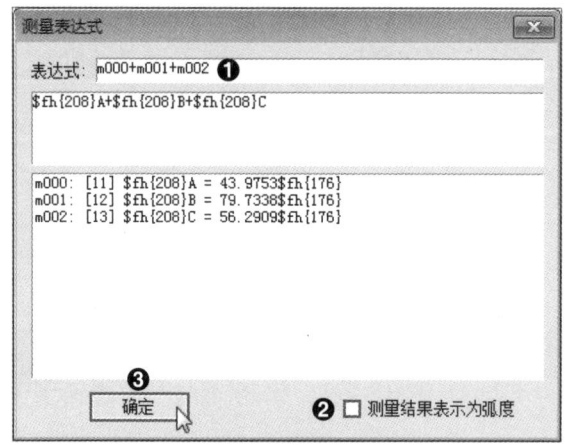

设置测量表达式

Step 05 然后使用选择工具任意调整三角的三个角或三个边的位置,可见三个角的度数在变化,但是三角之和始终等于180度,如下图所示。

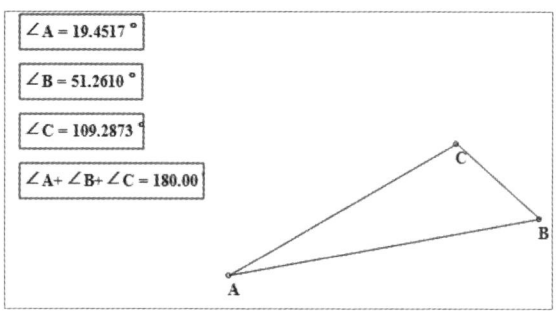

验证三角形内角和

实训 03 平行四边形的面积演变

【实训目的】
- 学会使用Z+Z超级画板绘制图形。
- 掌握动画的制作方法。

【知识准备与操作要求】
- 了解Z+Z超级画板的动画功能。
- 掌握动画的制作方法。

【实训内容与操作步骤】
- 绘制图形

102

Step 01 打开Z+Z超级画板软件,选择画笔工具并绘制线段AB,从B点绘制非垂直的线段BC,再从C点向左侧绘制线段,当光标右侧显示"平行四边行"文本时释放鼠标左键,即可完成平行四边形的绘制,如下左图所示。

Step 02 从线段AB上任意一点向CD线段绘制平行于BC线段的EF,然后从F点绘制FG线段垂直并交于AB线段,再从D点绘制DI线段垂直并相交AB线段,如下右图所示。

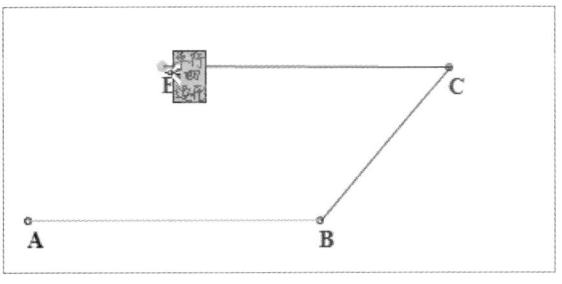
设置英文对齐方式

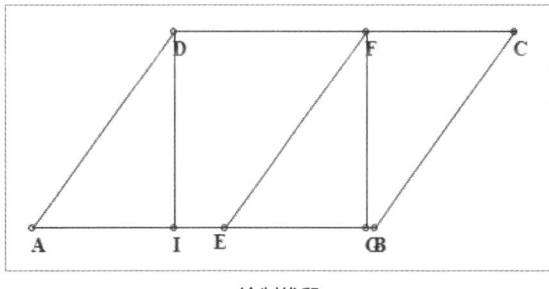
绘制线段

● 创建动画

Step 01 选中E点并右击,在快捷菜单中选择"动画"命令,打开"对象的属性"对话框,在"动画"选项卡中设置"动画运动的频率"为500❶,在"类型"选项区域中选中"一次运动"单选按钮❷,如下左图所示。

Step 02 切换至"文本"选项卡,在文本框中输入"运动"文本,用户可以单击"字体"按钮,在打开的对话框中设置字体格式,最后单击"确定"按钮,如下右图所示。

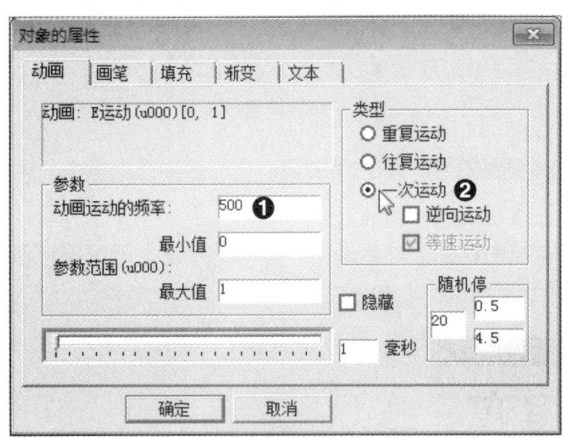
设置动画频率

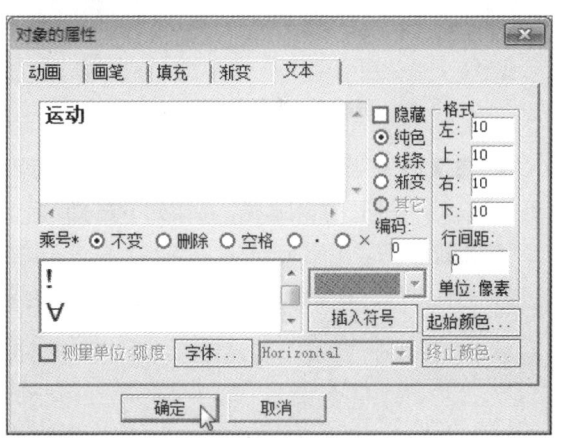
输入"运动"文本

Step 03 即可在绘图区左上角显示"运动"按钮,单击则EFG三角形向右动画至E点和B点重合,单击右侧小按钮,则三角形EFG向左运动至E点和A点重合,如右图所示。

Step 04 选择"运动"按钮最右侧草绿色按钮,在功能区设置填充颜色和画线颜色均为白色。然后选中AD和AB线段并右击,在快捷菜单中选择"隐藏"命令,即可隐藏选中的线段,可见图形的底边被隐藏,使用画笔工具连接IB和EG线段,如下图所示。

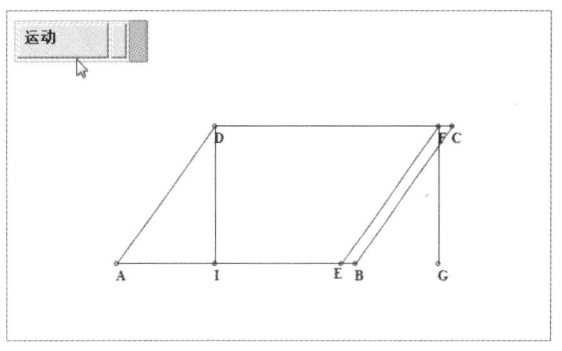
验证动画效果

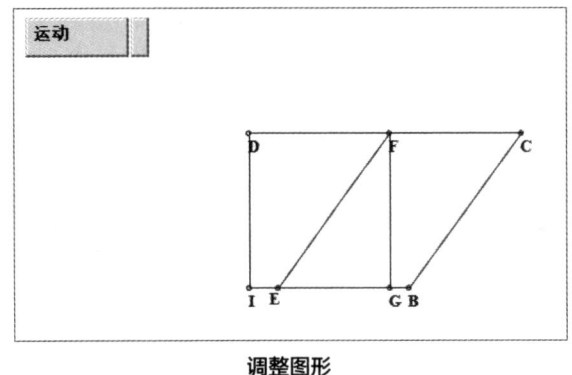

调整图形

Step 05 使用选择工具依次选择D、H、B和C点,执行"作图>常见多边形>多边形"命令,即可将选中的4个点组成多边形,如下左图所示。

Step 06 然后在功能区单击"填充颜色"下三角按钮,在列表中选择合适的填充颜色,即可填充多边形DHBC。根据相同的方法将EFG作图为多边形并填充相同的颜色,如下右图所示。

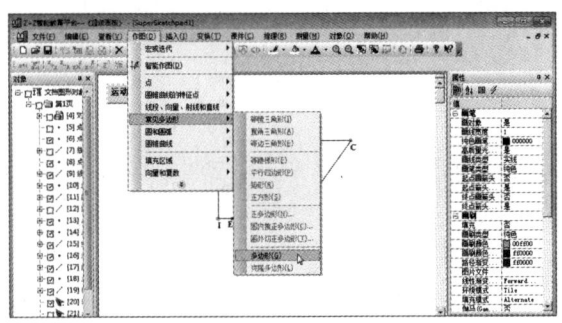

选择"多边形"选项

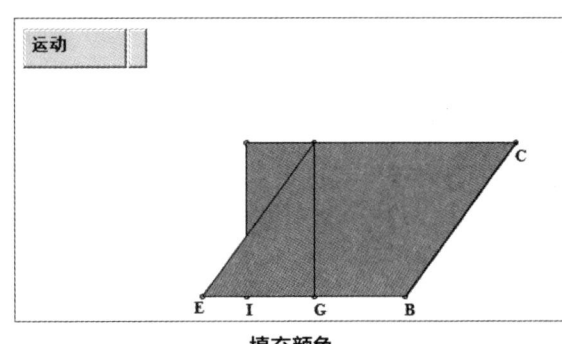

填充颜色

Step 07 按住Shift键选中两个多边形,在功能区单击"画线颜色"下三角按钮,在列表中选择蓝色,再单击"放大"按钮,加粗画线,效果如下左图所示。

Step 08 执行"编辑>全部点的名称"命令,隐藏所有点的名称。然后单击"运动"按钮,可见平行四边形变为长方形,单击右侧小按钮时,长方形变为平行四边形,如下右图所示。

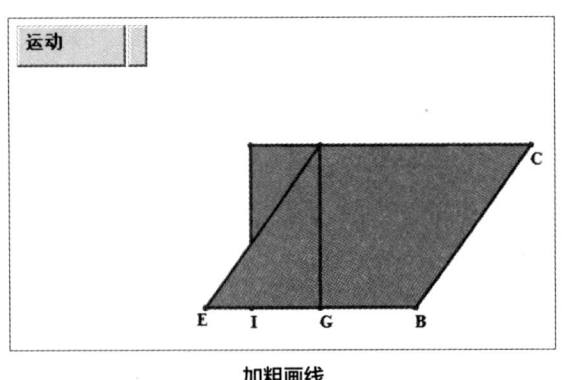

加粗画线

查看动画效果